# 脳梗塞・心筋梗塞は予知できる

真島康雄

GENTOSHA

# 脳梗塞、心筋梗塞になる人は食習慣でわかる！

□魚よりもお肉が大好き。

□焼き肉は上カルビ、ステーキはヒレよりロースを食べる。

□豚骨ラーメンが大好きで、週に1度は食べ、スープはほとんどすべてを飲む。

□ランチはほとんど肉料理を食べている。

□野菜や海藻類はあまり食べない。

□糖分入り飲料水を飲みながらポテトチップスやフライドポテトを食べるのが大好き。

□1日3回以上は糖入りの飴を口にする。

□酒類のつまみで、揚げ物やハムを毎日食べる。

□毎日砂糖入り（缶）コーヒーを2杯（本）は飲む。

□コーヒーや紅茶には砂糖をスプーンに2杯以上は入れる。

□以下のものでとくに好きで毎日のように食べるものがある。
　揚げ物、サラミソーセージ、甘い果物、バターピーナッツ、豚足、ケーキ類

あなたの食習慣にあてはまるものにチェック。

また、あなたの周りで脳梗塞、心筋梗塞になった人の食習慣を思い浮かべて、チェックしてみてください。

1つでもついた人は要注意。

# 脳梗塞、心筋梗塞になる人はエコー（超音波）画像でわかる！

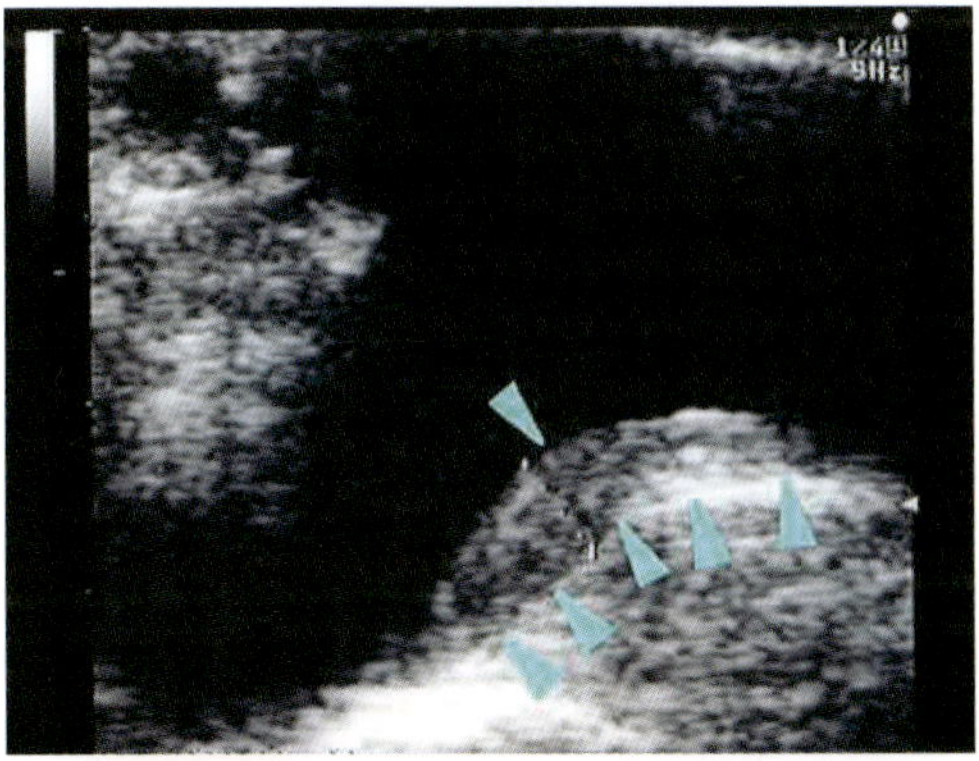

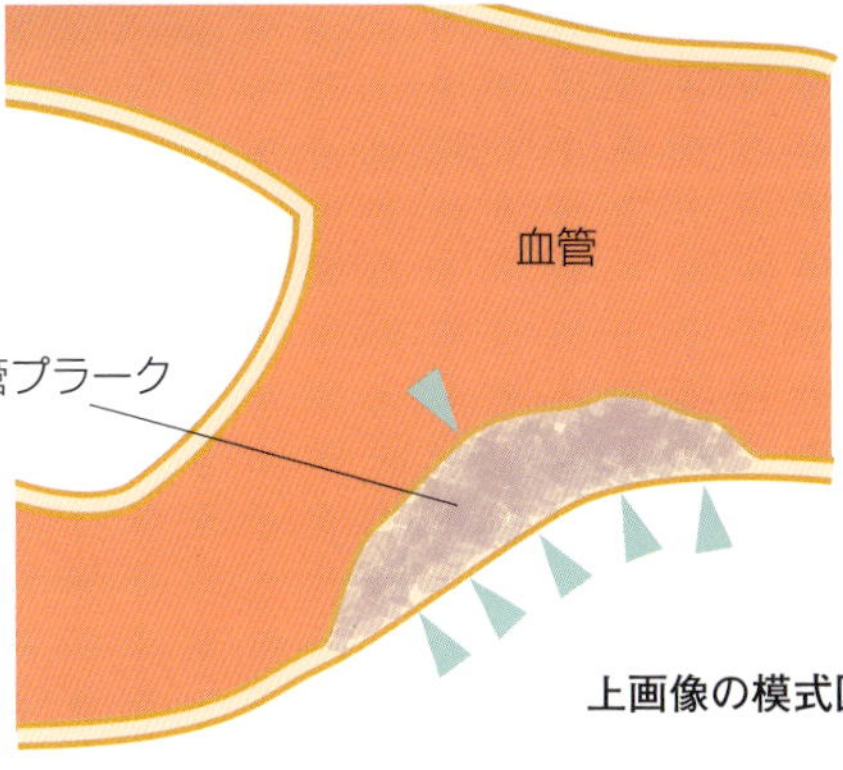


上画像の模式図

上は右鎖骨下動脈のエコー（超音波）画像。黒い部分が血管で、盛り上がっているのが血管プラーク（血管の内膜下に溜まった脂肪）。この場所でこれだけあるということは、動脈の他の部分でもかなり溜まっているとみていい。数年のうちに脳梗塞、心筋梗塞になる！

# 脳梗塞<br>心筋梗塞になるわけ

ある日突然発症する脳梗塞、心筋梗塞。脳や心臓の血管のプラーク（血管の内膜下に溜まった脂肪）が肥厚し、その血管を塞《ふさ》ぐことで起こります。

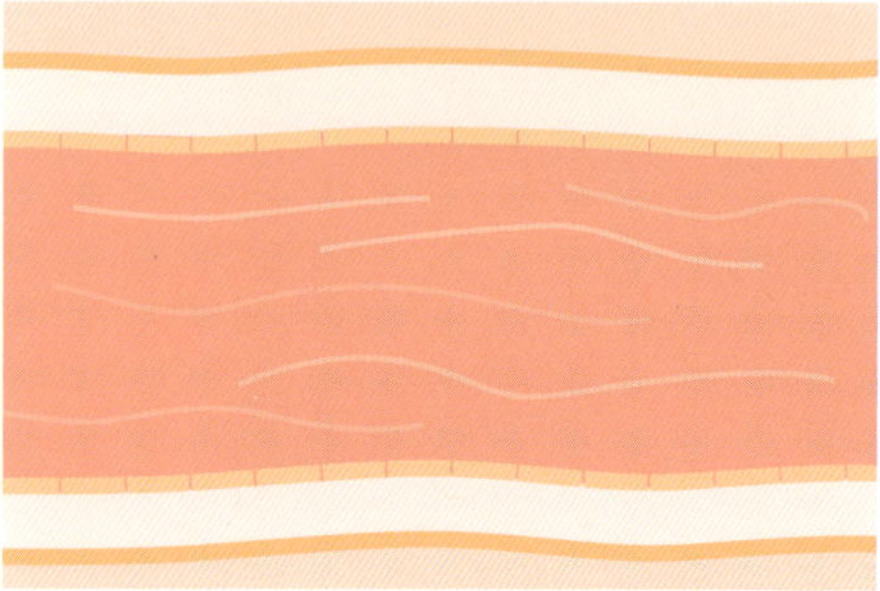

正常な血管
血液はスムーズに流れています。

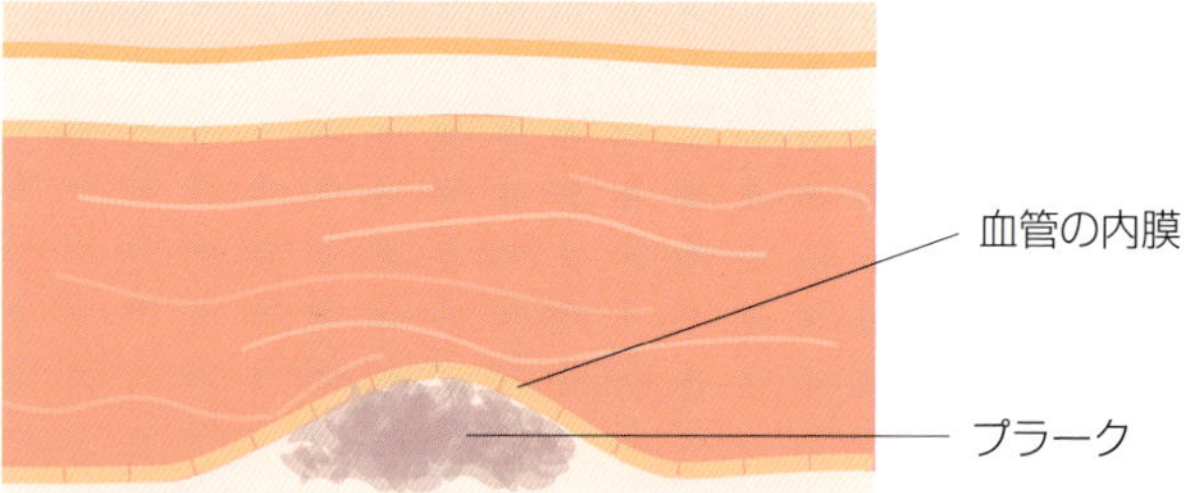


プラークにより狭窄《きょうさく》した血管
血液の流れを堆積したプラークが邪魔をしています。やがてこのプラークが大きくなり、脳や心臓の細い血管を詰まらせ、その周りの細胞を死滅させることに。

# 血管プラークが引き起こすその他の病気

脳血管性認知症

脳動脈にプラークが溜まると微小な血管が接する脳細胞に酸素や栄養が行き届かなくなり脳細胞の劣化現象が起き、脳血管性認知症になります。動脈硬化性腎不全も同様の原因です。

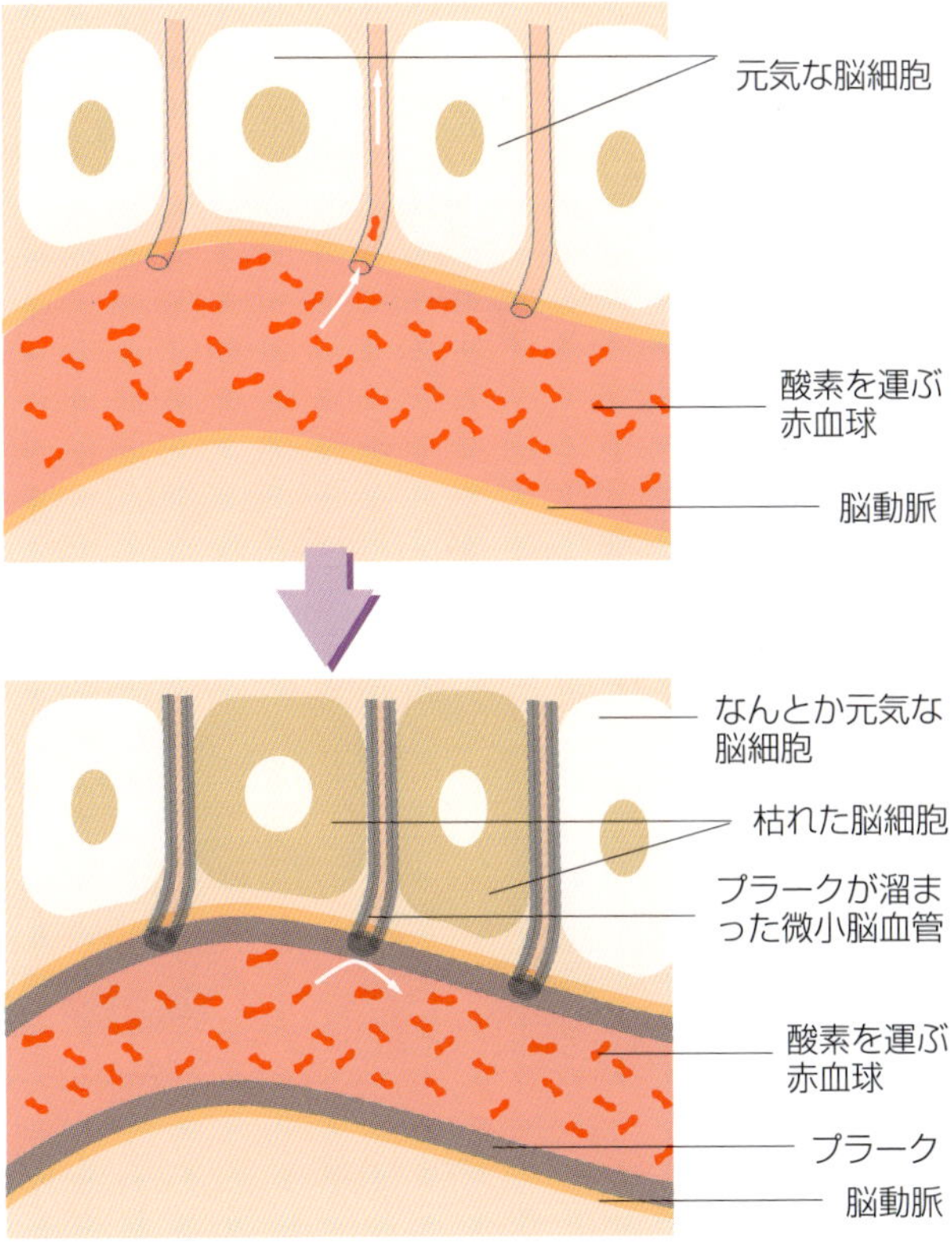

# 血管プラークの観察ポイント

脳や心臓の血管の"鏡"として、以下の6ポイントをチェックします。

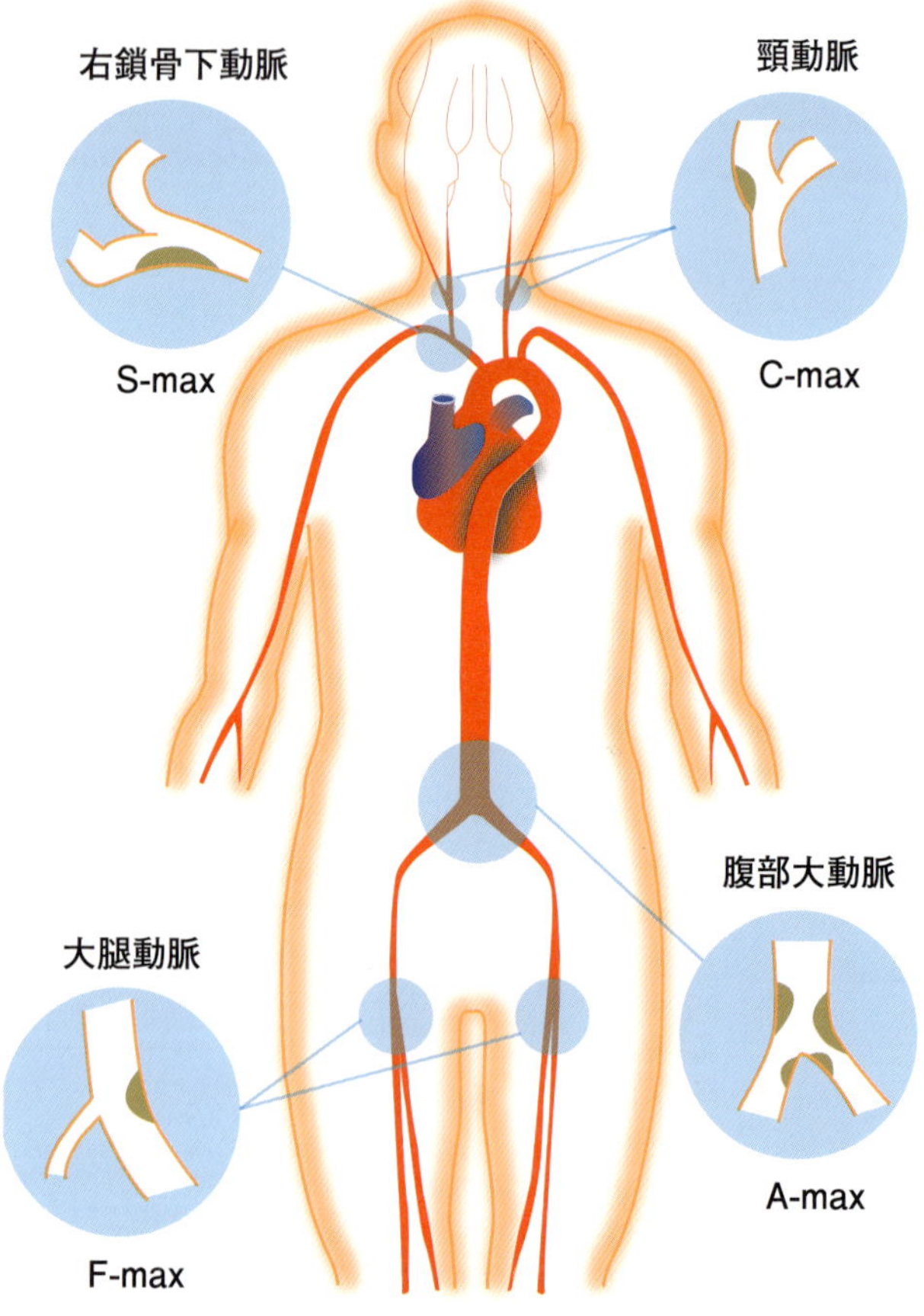

# 脳梗塞、心筋梗塞は カンペキに予知できる！

**右鎖骨下動脈の血管プラーク**

今回発見されたこの場所は、血管が屈曲しているため、プラークが溜まりやすい。全身の動脈の状態を診るうえで、重要なポイント。

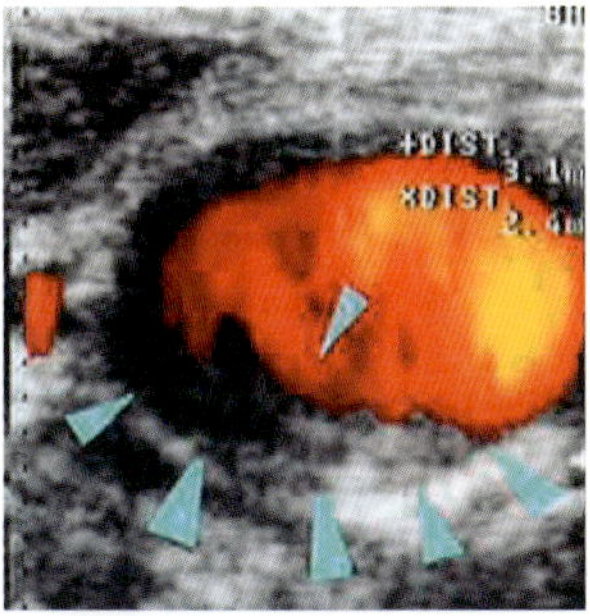

**頸動脈の血管プラーク**

これまで診ていた頸動脈は直進しているため、脳梗塞、心筋梗塞になった人でもプラークが溜まっていないことがある。

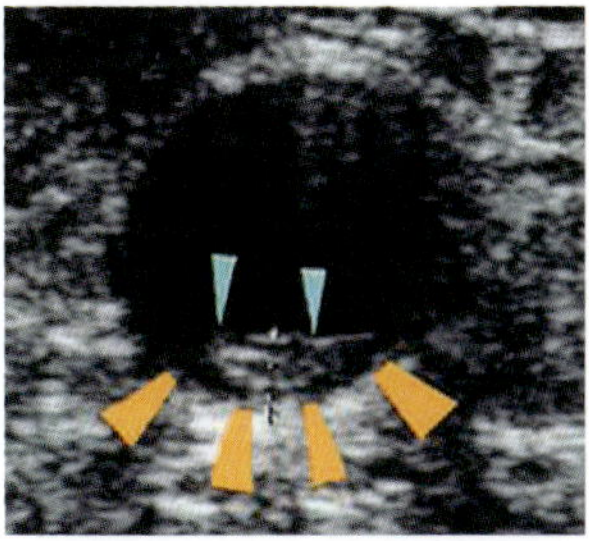

**大腿動脈の血管プラーク**

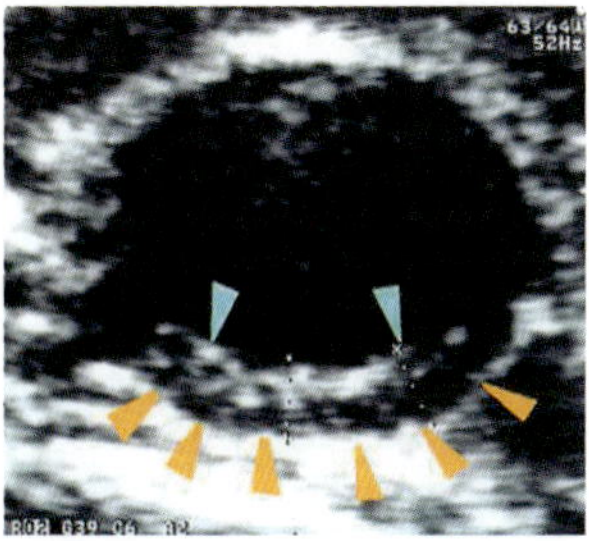

**腹部大動脈の血管プラーク**

その後の研究で発見された新たな観察ポイント。「左右の頸動脈」「右鎖骨下動脈」「腹部大動脈」「左右の大腿動脈」の6カ所をエコー（超音波）画像で診ることで、ほぼ100%脳梗塞、心筋梗塞は予知できる！

# 血管プラークは
# 減らすことができる

徹底した食習慣の改善をすれば、血管プラークは減らすことができます。

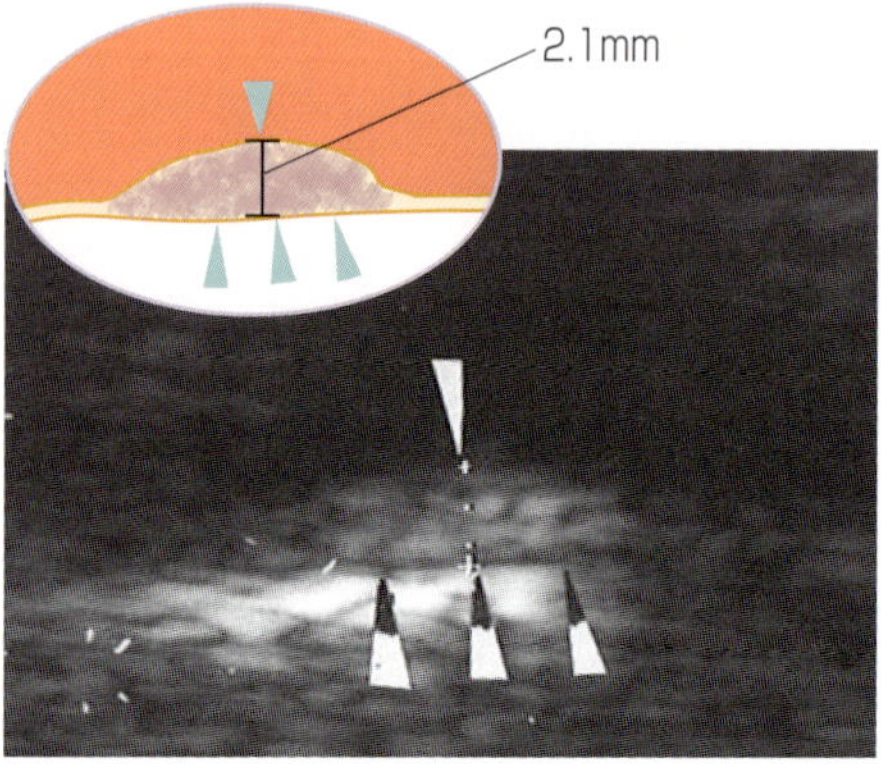


**右鎖骨下動脈**

2007年10月
右鎖骨下動脈の血管プラークは2.1mm、頸動脈でも2.8mmが認められた患者。一過性脳虚血発作を発症。

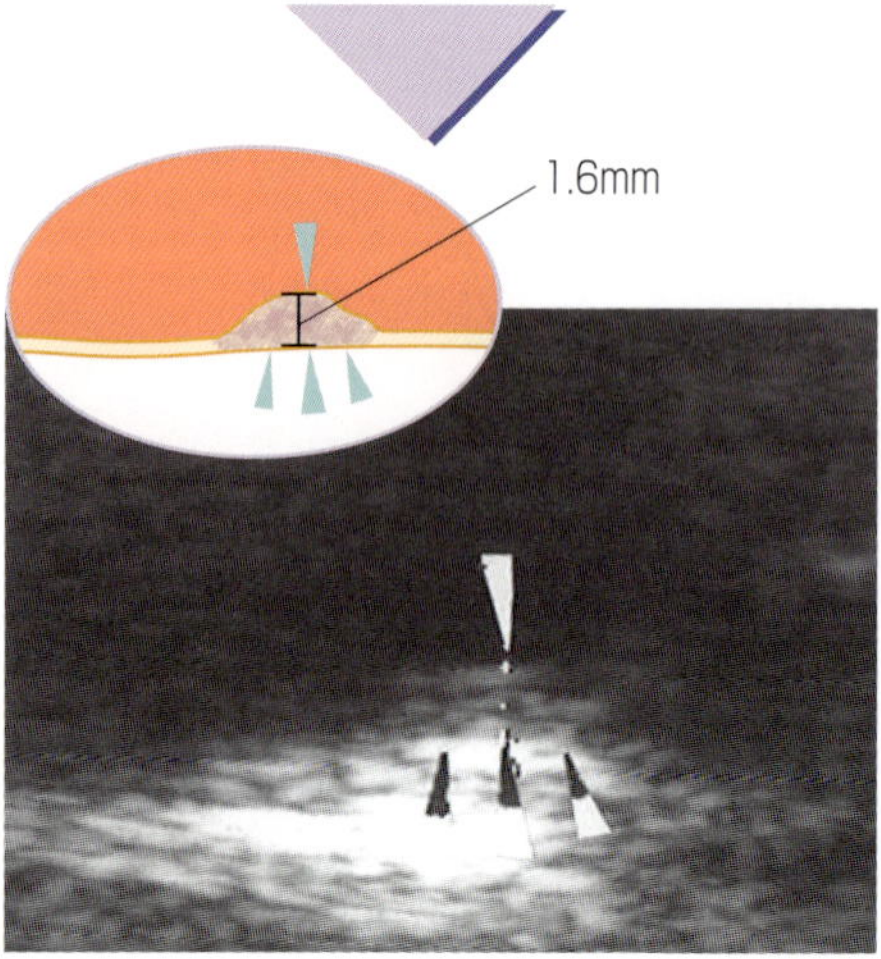


**右鎖骨下動脈**

2008年7月
徹底した食事の改善で右鎖骨下動脈の血管プラークは1.6mm、頸動脈は2.2mmと改善した。

# はじめに

動脈硬化が原因である脳梗塞や心筋梗塞は、死にいたる恐ろしい病です。またたとえ死を逃れたとしても、後遺症やつらいリハビリなど、患者さんのその後の人生に重大な影響を及ぼします。その脳梗塞や心筋梗塞で倒れられる方が、この20年間、増え続けています。

動脈硬化の予防のために、高血圧や糖尿病、コレステロール管理など、医療現場でさまざまな措置が真剣に取り組まれているのにもかかわらず、です。

たしかに医師は、高血圧や糖尿病などの予防や治療のプロです。しかしそうしたプロである医師であっても、脳梗塞や心筋梗塞で倒れる例が決して珍しくないのです。

一体なぜなのでしょうか？

動脈硬化の犯人は、どこかにいるはずです。

そして医師にも気づかれず、何食わぬ顔をしてどこかに潜んでいるのに違いないのです。その真犯人を見つけ出すことができれば、動脈硬化がもたらす脳梗塞や心筋梗塞などのさまざまな病気を遠ざけることができるはずです。

読者の方は、本書を読み終わるまでには、だれが真犯人かおわかりになることでしょう。

真犯人の〝足跡〟を、血管エコー（超音波）という検査で見つけ出すことができました。そしてその真犯人は、みなさん自身の手で撃退することもできるのです。

脳梗塞や認知症、心筋梗塞になるかもしれないあなたの運命を、劇的に変える方法を見つけたのです。ウソのような話ですが、動脈硬化がもたらすそれらの恐ろしい病気は、実は簡単に予防できることがわかったのです。それは「夜にコップ一杯の水を飲む」とか「運動をする」などといった原始的な方法ではありません。

たくさんの症例を集め、統計をとり、試行錯誤を繰り返した末の、私の確信です。やや専門的な箇所は、できるだけやさしく解説したつもりですが、これを読む医療関係者にとっては大切な情報なので、省《はぶ》かず掲載しました。きちんとした裏付けでものを言っているのだと、ご理解ください。

真犯人が明らかになったとき、あなたやあなたの身近の大切な人の人生に、きっと大きな希望の道が開かれることでしょう。

真島康雄

もくじ

## 第2章　「脳梗塞」「心筋梗塞」は必ず予見できる

## 第3章　食習慣があなたの寿命を決める

## 第4章　血管プラークがみるみる減っていく!

## 第5章　血管プラーク病にならない食事

## 第6章　血管プラークで説明するとすべてが解明される

装幀　石間淳
装画　松尾ミユキ／pict-web.com
DTP　株式会社トプコ
協力　井手和明　井手晃子　柳元順子

# 第1章

# すべてのはじまりは血管プラークだった

# 運命の患者との出会い

2007年3月、診察室の窓辺の薔薇《ばら》が芽吹くころ、私にとって、いや医学界にとって、運命の患者さんが来院されました。

77歳男性。数年前に肝臓がんの手術を行い、術後の経過観察のため定期的にエコー（超音波）検査に通院されていた患者さんでした。ところが半年ほど来院せず、久しぶりに見えたのです。

挨拶《あいさつ》もそこそこに、エコーを当てながら、

「どうしました、ずいぶん久しぶりじゃないですか」

と言う私に、

「いやあ、先生すっかりご無沙汰しちゃって。実は**心筋梗塞で倒れて、近くの総合病院に入院**してたんですよ」

「**心筋梗塞**」、その病名に私は敏感に反応していました。

――父の死と同じだ……。

長崎のはずれの小さな漁村で唯一の診療所の医者をしていた私の父は、私が医大生のときに心筋梗塞で亡くなっていました。地元の方たちに愛され、医者という職業を天職として働いていた父でしたが、62歳の若さで突然逝ってしまったのです。あれから34年。目の前の患者さんから「心筋梗塞」という病名を聞いたときに、父の死が頭を横切りました。

いつものように肝臓のエコー検査を実施した後、

――心筋梗塞なら**頸動脈にプラーク（血管内膜下に溜まった脂肪。28ページ参照）が溜まっているはず**だな。

そんな基礎的な医学知識を思い出し、ついでに頸動脈もエコーで診てみようと、軽い気持ちでプローブ（身体に当てるスキャナー）を患者さんの首に当て、頸動脈を映し出してみたのです。

すると不思議なことに、頸動脈の血管には何の異常もありません。「逆は真ならず」つまり、頸動脈にプラークが多く溜まっている人は心筋梗塞になりやすいが、心筋梗塞の患者さんの頸動脈に必ずしもプラークが多く溜まっているとは限らない。この患者さんもその例に当てはまるのかな、と思いながら、何気なくエコーをしていると、頸動脈の下の右鎖骨下動脈に、おかしなものを発見したのです。

——これは何だろう?

より鮮明に血管を映し出してみると、これがプラークだったのです。頸動脈では見つからなかった血管プラークが、**右鎖骨下動脈には、うずたかく堆積していたのです。**

——こんなところにも、血管プラークは溜まっているんだ。

私がこれまで学んできた医学の教科書や文献では、鎖骨下動脈の血管プラークの記述は見たことがありませんでした。

そこで、思い立って他の検査もしてみました。すると、この患者さんのLDL(悪玉コレステロール)値は75㎎/dl(基準値は139㎎/dl未満)、中性脂肪も正常でした。肥満でもありません。普通の健診では心筋梗塞の予備軍としての網にかかりません。すでに心筋梗塞を発症し、専門の病院に通院されているのに、外見的にも、いや内科的にも異常はないのです。ただ右鎖骨下動脈の血管プラークだけが、異常値を示していました。

――これは一体どういうことなのだろう。もしかしたら、この場所の**血管プラーク**をエコーで映せば、**心筋梗塞の予知に利用できる**かもしれない。

漠然とそう思いながらも、そのときは、

――すでに研究がされていて、自分がそれを知らないだけなのかもしれない。

とも考えていました。

## 疑念が確信に変わった日

それからちょうど、1カ月が過ぎたとき、またもや運命の患者さんが現れました。

3カ月に1度の間隔で通院されている50歳の男性です。その日は奥様に付き添われて来院されたのですが、いつもと違い、お二人とも深刻そうな憔悴しきったご様子なので不思議に思い、近況をお尋ねしました。すると、

「3カ月前の先生の検診から帰って1週間後でしたかね、突然主人の顔の半分がしびれたようになって、口が思うように動かせなくなりまして。すぐに病院に連れて行ったら、脳外科に回されて、脳梗塞と言われちゃったんですよ」

と奥様が説明してくれたのです。

――脳梗塞もたしか頸動脈にプラークが溜まっているはずだな。

そう思いながら肝臓のエコー検査を終え、今回も試しに頸動脈のエコーをしてみました。ところが、これも異常がないのです。

――まてよ、もしかしたらこの人の場合も「あの場所」には溜まっているかもしれない。

はやる気持ちを抑えながら、1カ月前と同様、**頸動脈よりも深い場所の右鎖骨下動脈を観察してみた**のです。なんと予想は適中。「あの場所」に血管プラーク

がうずたかく積もっていたのです！

――やはりそうだ！　ここは**血管プラークが溜まりやすい場所**なんだ！

このとき、仕事半ばで無念のうちに逝った父の面影がよみがえってきました。

――これまでの頸動脈血管のエコー検査では困難だった**心筋梗塞や脳梗塞の予知が、右鎖骨下動脈なら可能**かもしれない。これはぜひ、もっと本格的に調べてみたい！

ここにいたって私の生来の研究癖が、むくむくと頭をもたげてきたのです。

## ついに重要なヒントを得る

私なりの猛勉強がはじまりました。血管プラークや心筋梗塞、脳梗塞など血管系の論文を徹底的に調べ上げたのです。しかし、なかなかこれぞという文献は得られません。

ある日、エコー（超音波）診断機器会社の営業マンに鎖骨下動脈のことを聞いてみました。すると「ああ、鎖骨下動脈の血管も見えますよ」との返答。そんなことは常識なんですけど、とでも言いたげでした。ということは、多くの先生方も見逃しているはずはない。それなのになぜ、どこにもその記述がないのだろうか。後で知ったことなのですが、業者の方の頭にあった鎖骨下動脈とは、右肩に近い浅いところの鎖骨下動脈でした。しかし私が発見した場所は、見ようとしなければ見えない、**心臓にもっとも近い右鎖骨下動脈の起始部**だったのです。

さらに多くの文献をあたり、また来院する患者さんにご協力いただいて、血管エコーを撮り、データを蓄積していったのです。

待ち時間が長くなったり帰宅が遅くなったりと、患者さんやスタッフに大いに迷惑をかけての作業でした。私自身も、趣味の薔薇作りもそっちのけで、診療を終えた後や休日も返上して膨大なデータを分析し、正確にプラークの測定をする方法を模索しながら、データを集めていきました。ある程度の数がそろったところで、統計的な処理をし、因果関係を明確にしようと試みたのです。

そして、「右鎖骨下動脈の血管プラークの堆積状況は、脳梗塞、心筋梗塞などの血管系疾病に対して、有意の関連性が認められる」しかも、それらの発症の予知さえ簡単にできるに違いないという結論に達しました。

右鎖骨下動脈の血管プラークが、心筋梗塞や脳梗塞などの血管系疾病の発症に対して、きわめて重要なポイントであることを突きとめたのです。

ついに疑念が確信に変わった瞬間でした。

途中あまりにも膨大な資料との格闘で、何度も投げ出したいと思いましたが、まだ62歳という若さで逝った父の無念を思う気持ちと、寝たきりの患者さんを一人でも少なくしたいという思いを糧に、最後まで続けてきてよかったと、今では本当にそう思います。

その後、研究結果をまとめた論文の執筆にも着手。2008年9月15日に**日本超音波医学会誌（Jpn Med Ultrasonics Vol.35 No.5 2008）に発表**し、専門家の間で大きな話題と注目を集めることもできました。そして、これは専門家だけが知っていればよい知識ではなく、一般の方にも早く知っていただき、心筋梗塞、脳梗塞の予防に役立てていただきたいと、本書の執筆を思い立ったのです。

## 血管プラークとは血管内膜下に溜まった脂肪

まず血管プラークとはどんなものなのかをお話ししましょう。血管プラークとは、日本語では「粥腫《じゅくしゅ》」といいます。その名の通り、**お粥《かゆ》のようにじゅくじゅくとした脂肪の塊**です。呼び名からしていかにも気味の悪いものですが、血管プラーク自体は血中を流れているのではなく、普段は血管内膜下にへばりついています。そして、**血液の流れを悪くしたり動脈硬化の原因**になったりします。

また重症例では内膜が破れてプラークの一部が剥《は》がれ落ちると、それ（血栓）が血流にのって身体中の血管内を回り、細い血管を塞《ふさ》ぐことで心筋梗塞や脳梗塞などの重大な病気を引き起こします。

しかもこのプラークは、**堆積して20〜25年経つと石灰化**して硬くなります。長年経って石灰化すると、エコーだけでなくエックス線（検査）でも大動脈の内側に白く見えます。そこで昔の医師は「動脈硬化は大動脈から」というふうに考えていました。実は動脈硬化の本質はプラークなのです。ただし、このプラークはエックス線（検査）では0.1㎜単位で見ることは困難です。末期になってようやくエックス線（検査）に映るのです。

その他にも、腎不全や血管性認知症、手足の指の壊死《えし》など、血管プラークが原因と考えられる疾病は多くあります。

私の考えでは、動脈硬化という言葉は今後の予防医学にはふさわしくない言葉です。なぜなら**動脈が硬化する20年も前からプラークは溜まり出す**のですから。このことは食歴を詳しく聞きながら、血管エコーをして初めて知り得ることなのです。

そこで、あえて私は動脈硬化が関係する病気を「血管プラーク病」（40ページ参照）と名づけることにしました。

つまり実に多くの病気が、血管プラークを撃退することで、予防できる可能性が開けたのです。

ところで、プラークが血管内に溜まっているかどうかは、血管を直接診ないとわかりません。体外から細い管を差し込んで診断するカテーテル検査なら、血管がどのくらい細くなっているかがわかりますが、この検査は身体にも負担がかかるため、よほどのことがない限り行いません。かといって、血管プラークが溜まっているかどうかを自分で把握する方法はありません。なんといっても**自覚症状などまったくない**のですから。

それならば、身体に負担のないエコーで血管のプラークを映し出せばいい。エコー検査で心筋梗塞や脳梗塞の診断ができれば、こんな素晴らしいことはない。それは私の夢でした。

たしかに脳梗塞や心筋梗塞を患った患者さんの頸動脈エコーをすると、プラークが溜まっていることは多くあります。しかし頸動脈にプラークが溜まっていなくても、脳梗塞や心筋梗塞になってしまう人もたくさんいます。これまでエコーは、脳梗塞、心筋梗塞診断のための補助検査のひとつに過ぎませんでした。
——頸動脈ではない場所に、プラークが溜まりやすい箇所はないのだろうか？
これは私の長年の疑問でした。
それが右鎖骨下動脈の発見によって、今まさに解決されたのです。

## これまで、なぜ血管プラークが話題にならなかったのか

脳梗塞や心筋梗塞の危険信号とされる血管プラークをエコー検査で診る場合、これまでは左右の頸動脈の2カ所を診るのが一般的でした。脳へ直接血液を送る血管に「こだわり」すぎたのでしょう。脳梗塞を全身の動脈の変化の一部に過ぎないとして考えれば、もっと早く右鎖骨下動脈で診る方法が発見されていたかもしれません。今回私が発見したその場所は、**血管が頸動脈より太く、カーブもし**

**右鎖骨下動脈**－新しく発見した血管プラークの観察場所

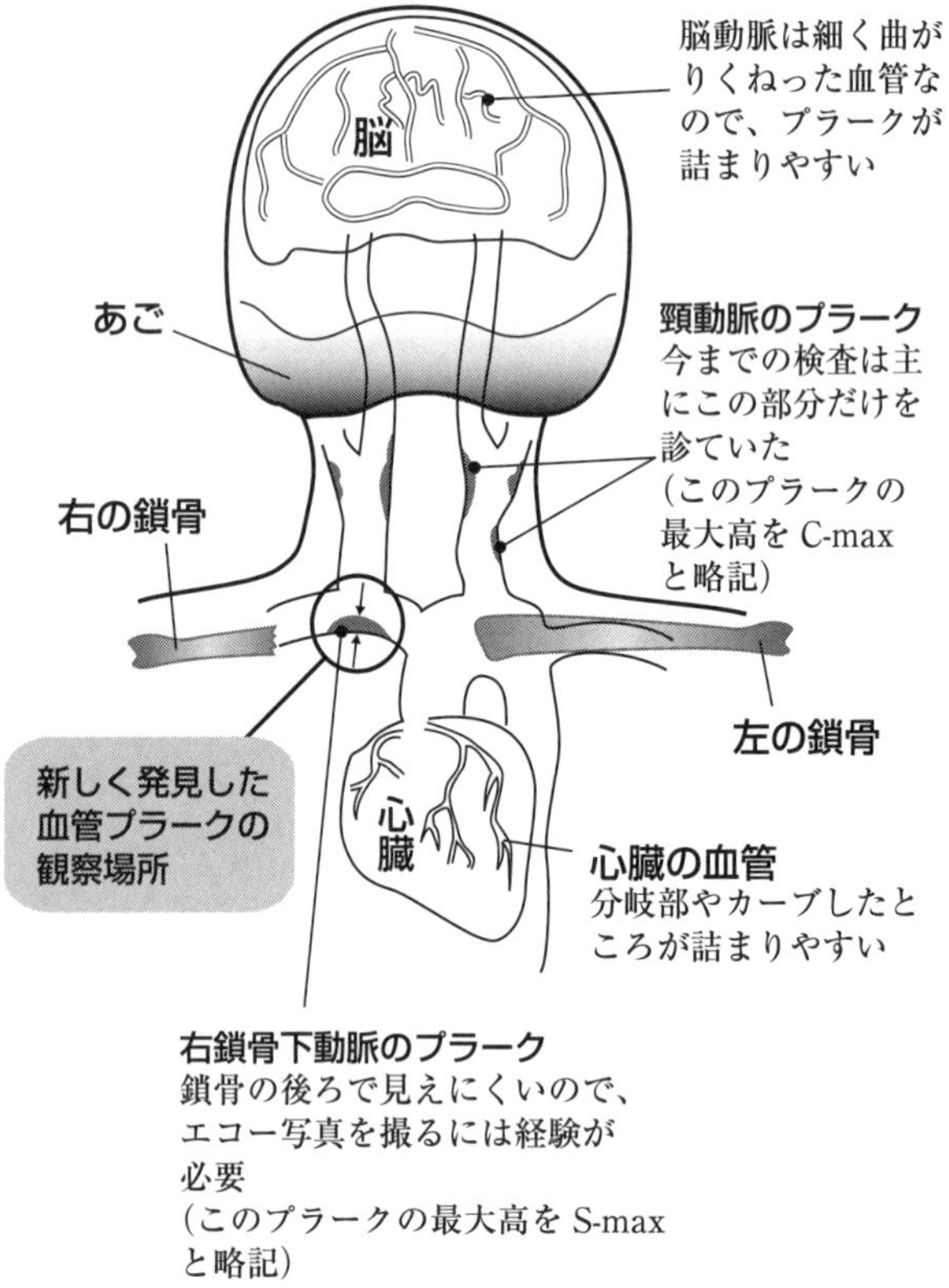

ていて、さらに**分岐**しており、川の流れでたとえるならば「ゴミ」が非常に溜まりやすい場所なのです。

血管内のプラークの堆積状態を診るための、きわめて有効かつ新たな方法であるということができるでしょう。まさに、**血管の内部をのぞき見る窓、血管の状態を映し出す鏡**だったのです。

頸動脈に比較して、なぜ右鎖骨下動脈の血管プラークは、有効なのか。それは、ここではプラークの容積が大きくなりやすいので、ＬＤＬ（悪玉コレステロール）や食事の影響が如実にあらわれるからです。つまり、血管プラークを診るだけで、その人の**食習慣の定量的（数学的）判断が可能**になったのです。これから詳しく紹介していきますが、その数値は、多くのアンケートを集計したことで、統計的にも明らかになりました。

ではこれまでなぜ、右鎖骨下動脈の血管プラーク診断が注目されなかったのでしょうか。それは、もともとその場所が身体の奥深い場所にあるため、通常のエコー検査では、なかなか見つけるのが難しかったからです。それが、今回の幸運に導かれた偶然ともいえる発見で、**鎖骨下動脈の中でもプラークが溜まりやすい箇所が**、ピンポイントで明らかになったのです。この箇所をしっかりとエコー検査すれば、プラーク病の予知や予防に役立ちます。右鎖骨下動脈のエコー検査により、血管プラーク診断は、劇的に進化するといえるでしょう。

さらに研究を重ね、腹部大動脈や大腿動脈のプラークも合わせて診ることで、右鎖骨下動脈が見えにくい人たちや、右鎖骨下動脈にもプラークが溜まっていない少数の動脈硬化の症例も拾い上げることが可能になりました。

今まさに100％に近い確率で脳梗塞や心筋梗塞の危険度の判定が可能になったのです。

## エコー（超音波）の専門家だったから発見できた

もともと私の専門は、肝臓です。「脳梗塞」や「心筋梗塞」はいわば門外漢で、専門的な知識はなかったのです。そんな私が「脳梗塞」や「心筋梗塞」に興味を持ったのは、長年通院していた肝臓病の患者さんが「心筋梗塞」を患ったためでした。

——そういえば心筋梗塞の患者さんは血管にプラークが溜まっているはず。

という、とても基本的な知識を、実際に患者さんのエコー診断をしているときにふと思い出したからに他なりません。しかもエコー検査にはいささか腕に覚えがありました。肝臓の診察にはエコーは大変重要ですが、明瞭に目的のものを映し出すのは難しいともされています。根が研究好きな私は、より鮮明なエコーを撮るための工夫をずいぶんし、その技術を習得させてほしいと、私のもとを若い医師が度々訪ねてきます。

私の患者さんが、脳梗塞も患い、再来院された。その患者さんの頸動脈をたまたま観察してみたらプラークがなかった。おかしいと思ってプローブをそのまま動かし、エコー撮影の技術を駆使して動脈をたどっていったら、右鎖骨下動脈にプラークを発見した。そんな偶然に恵まれたことから、この研究ははじまりました。

長年、肝臓の診断を通じてエコー検査に慣れていた、診断の目にはそれなりに自信もあった、そんな私だからこそ巡り合えた僥倖《ぎょうこう》といえるでしょう。

## 実物で見る血管プラークの怖さ

プラークが溜まっていますよ、と言われてもピンとこない。そんな私の患者さんには、まずご自身のうずたかく積もったプラークを（リアルなカラーのモニター画面で）見ていただくところからはじめます。

高所恐怖症の人でも、高さ１ｍくらいでは怖さは感じないでしょう。それくらいなら大丈夫、本能的にそう理解できるからです。でも２ｍになると、足がすくんでしまう人がいるかもしれません。３ｍなら私も怖いです。数字だけ言われても怖さはさほど感じないでしょうが、実際の高さをその目で見ることで、怖さは直感的に理解することができます。

　頸動脈の径は一般的に６～８㎜、右鎖骨下動脈の径は８～10㎜程度です。ここに血管プラークが溜まるわけですが、その堆積の高さも1.0㎜ならまったく怖くありません。でも2.0㎜はちょっと危険です。血管プラークが3.0㎜以上あったら……。身の危険を想像してください。でも痛くもかゆくもないので、想像するのは難しいのが人間の常です。そこで超音波検査なのです。この危険な状態を、私は実際に患者さんに見てもらうようにしています。すると多くの患者さんがことの深刻さに気づきます。

　世界中の人たちが環境問題に熱心になれたのは、酸性雨のために枯れた緑の森やオゾン層の破壊の映像、氷河の後退や北極の氷の消退の写真などのビジュアルを見せられることで事態の深刻さに気づいたからなのです。

## 言葉より、視覚に敏感に反応するのは人間の本能

人間は原始時代から視覚を駆使することで肉食獣や毒を持ったヘビ、毛虫などの危険な動物、自分に害を及ぼすかもしれない生き物を避け、危険から逃れて生き抜いてきました。崖には近づかない、音をたてない危険な生き物を早く発見する。まさに視覚こそが、一番の防衛手段だったのです。

視覚で認識した危険に対しては、人は敏感に反応します。では自分の血管にうずたかく積もったプラークを見たとき、人はどう反応し、どう行動するでしょう。

ここ数年の私の経験からいえば、コレステロール値や血圧の値を見せたり、医者としてあらゆる言葉を尽くして説明したりするよりも、実際にプラークを見ていただいたほうが、患者さんは身の危険を肌で感じてくださるようです。ときには「鳥肌が立った」と怖がられる方もいらっしゃいます。そして食習慣の改善な

**エコー（超音波）で映した右鎖骨下の血管プラーク**

（S-max=3.0mm）

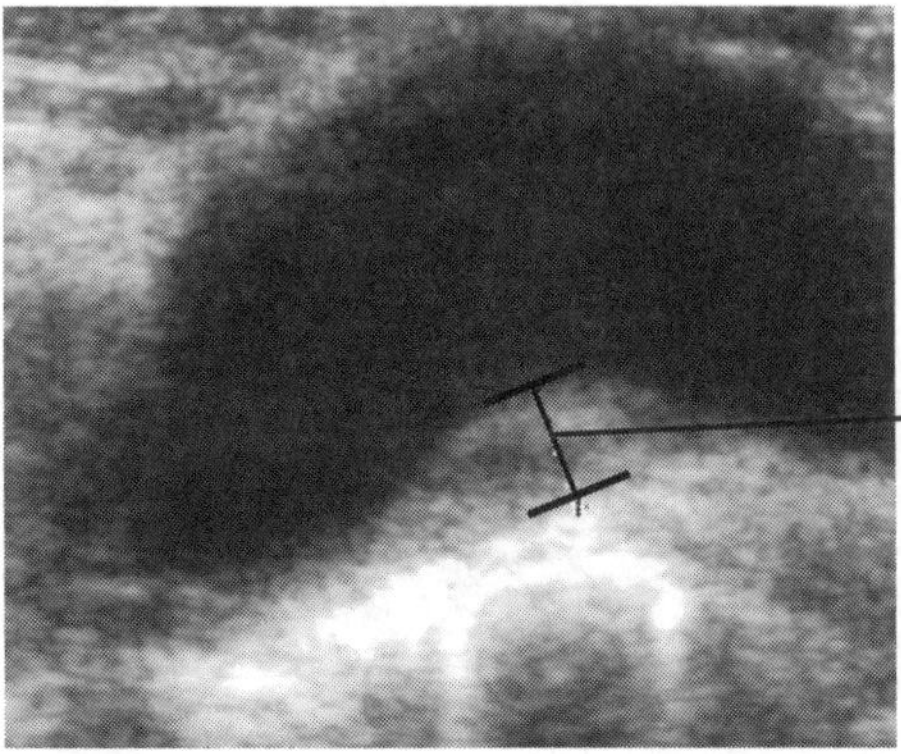


どにも本気で取り組みます。

まさに百聞は一見にしかず。血管にプラークが溜まっていることを自分の目でしっかりと確認できれば、本気で健康のことを考えるようになります。幸いにもプラークが溜まっていなければ、たとえストレスや過労になっていても、脳梗塞や心筋梗塞の確率はかなり低いはずです。

まず見ること。さまざまなプラーク病にかからないためにも、まずは**エコー検査でご自身の血管を見ること**をお勧めします。

## 自覚症状はほとんどない

さて、血管に溜まったプラークは、どのような病気を引き起こすのでしょうか。心筋梗塞、脳梗塞、**失明、蛋白尿からはじまる腎不全、血管性認知症、手足の指の壊死、大動脈瘤**など、私が定めた「血管プラーク病」に類する病気は、いずれも命にかかわる重篤なものです。その多くは50代以降に発症しますが、血管プラーク病の立場からいえば、発症した時点ではすでに末期症状ということができ、実は初期症状は20代からはじまっています。

頸動脈エコーでは目立たないのですが、右鎖骨下動脈のエコー検査を実施すると、20～30代の人でもプラークが溜まっている例が多々あります。しかしほとんどの場合、いやすべてといっていいですが、自覚症状はまったくありません。原因としては肉類や糖分、脂肪分の摂取過多、過度の飲酒、喫煙、高血圧、糖尿病などが考えられますが、どの場合でもエコーではっきりとプラークを見ること

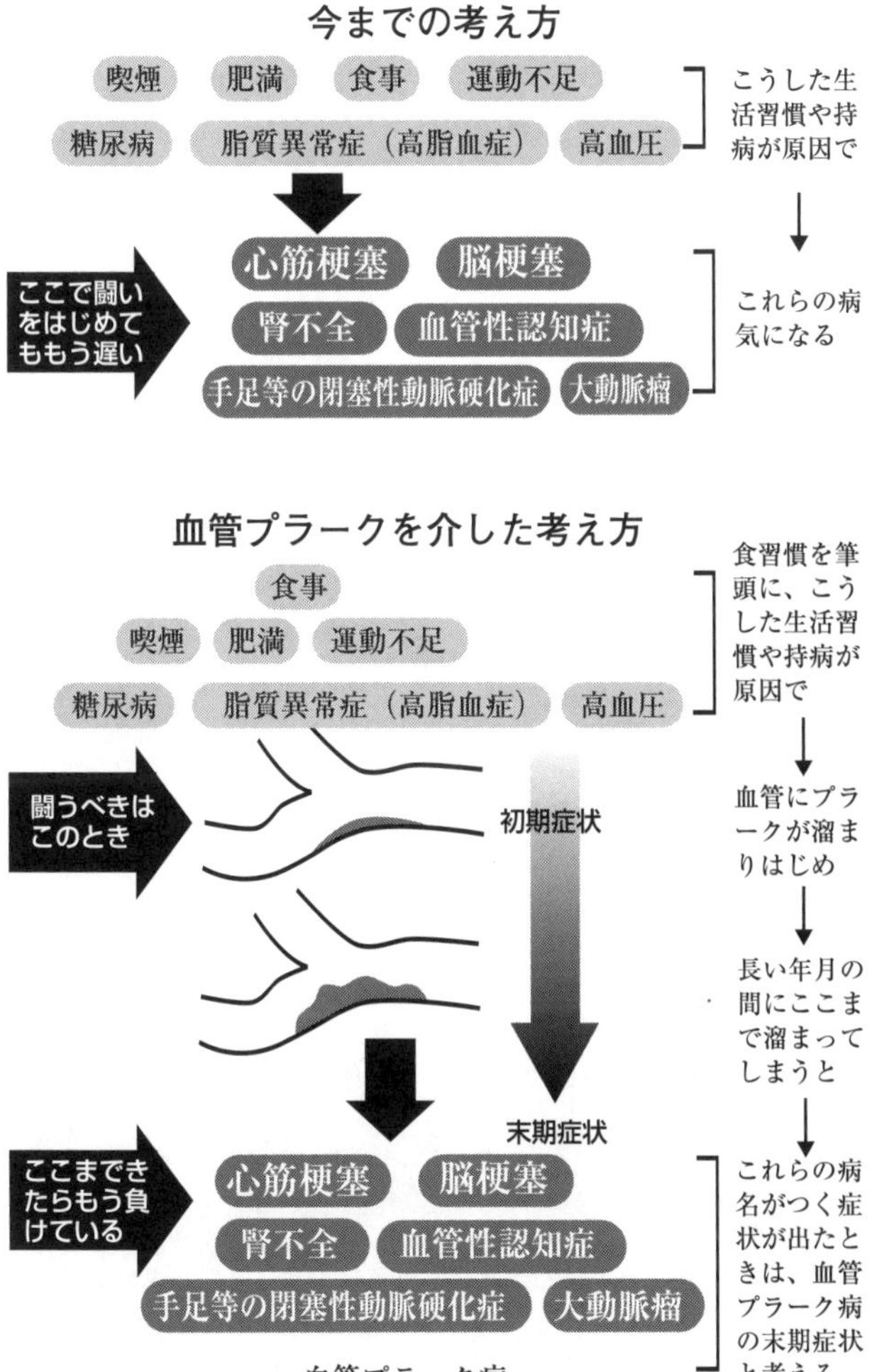
今までの考え方
喫煙
肥満
食事
運動不足
糖尿病
脂質異常症（高脂血症）
高血圧
こうした生活習慣や持病が原因で
ここで闘いをはじめてももう遅い
心筋梗塞
脳梗塞
腎不全
血管性認知症
手足等の閉塞性動脈硬化症
大動脈瘤
これらの病気になる
血管プラークを介した考え方
食事
喫煙
肥満
運動不足
糖尿病
脂質異常症（高脂血症）
高血圧
食習慣を筆頭に、こうした生活習慣や持病が原因で
闘うべきはこのとき
初期症状
血管にプラークが溜まりはじめ
長い年月の間にここまで溜まってしまうと
末期症状
ここまできたらもう負けている
心筋梗塞
脳梗塞
腎不全
血管性認知症
手足等の閉塞性動脈硬化症
大動脈瘤
これらの病名がつく症状が出たときは、血管プラーク病の末期症状と考える

血管プラーク病

# 脳梗塞、心筋梗塞の予知が可能
## 「あなたは今…どこにいますか？」

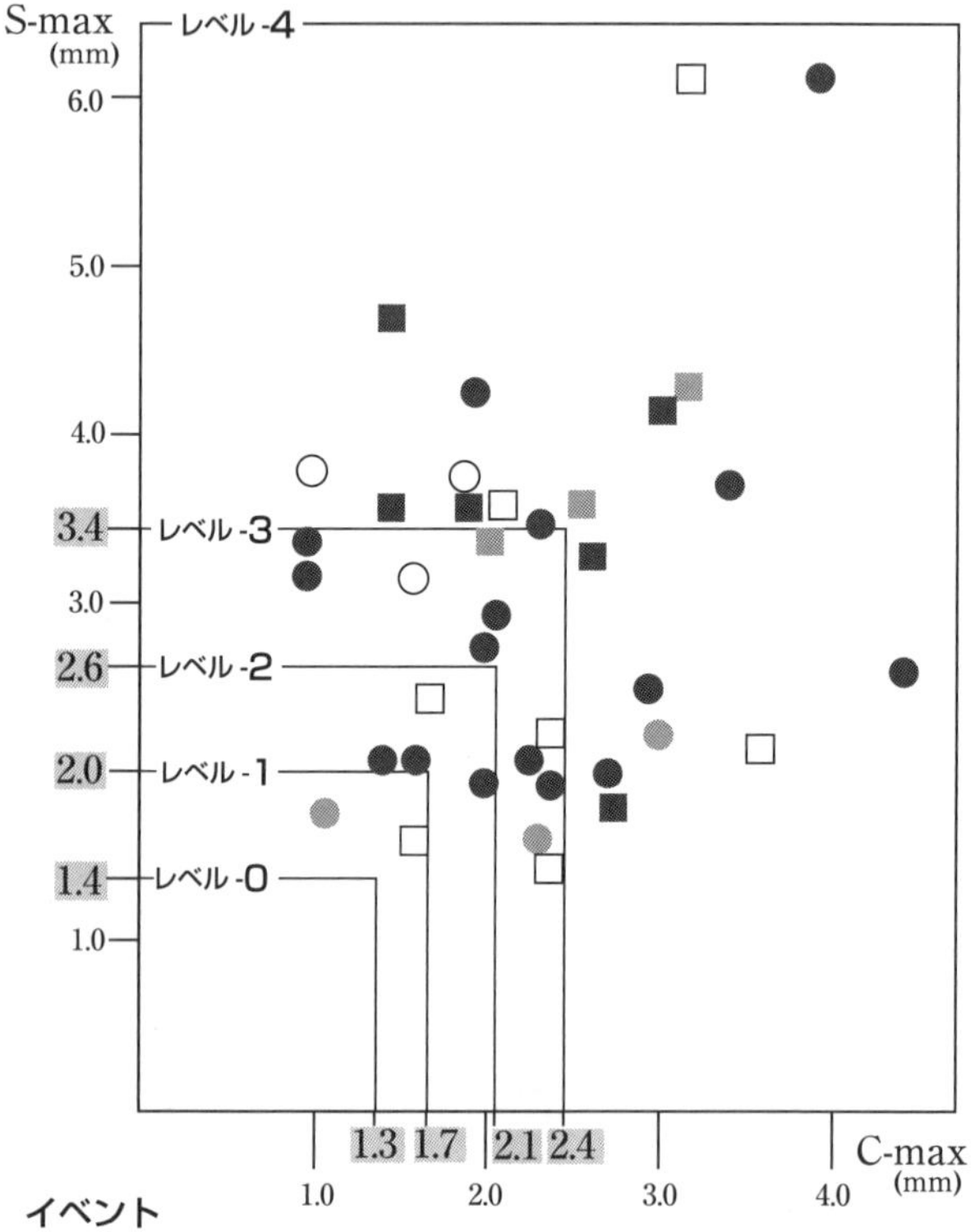


イベント

■心筋梗塞　●脳梗塞
■心臓、冠動脈 - バイパス手術　●無症候性脳梗塞
□心臓カテーテル - ステント留置術　○一過性脳虚血発作

（イベント＝数日～10年以内の出来事）

（Jpn Med Ultrasonics 2008； 35 : 545-552の報告に症例追加して再検討した図）

**右ページの図の見方**

あなたが今
　S-max=2.8mm
　C-max=2.7mm
だとしたら → リスクレベル=4
イベント歴率から見ると、数年以内に17.4%の確率でなんらかのイベントが起こると想定されます。

**図の解説**

50歳以上(血小板10万以上)の人で、イベント(右ページ下参照)のない633人+イベントのあった38人=671人を母集団として、リスクレベルの設定と過去のイベント歴率を計算しました。
右ページの図は、イベントのあった38人を右鎖骨下動脈のS-maxを縦軸に、頸動脈のC-maxを横軸にとった中にプロットしました。

**コメント**

1) 右鎖骨下動脈のS-maxを測定できることで、頸動脈のC-maxの測定結果と合わせて、初めてレベルの設定が可能になりました。
レベル0〜1なら安全域であることが一目瞭然です。
2) イベントが起こっていた38人中10人(26.3%)は、頸動脈のみの検査では軽度の動脈硬化と見なされ、適正な治療を受けられない恐れがあります。
3) 測定値は、イベントから数日〜数年(最長10年)経過してエコーしたときの値です。

**イベント歴率**

レベル=4　115人中イベント歴ありは20人…17.4%
レベル=3　101人中イベント歴ありは12人…11.9%
レベル=2　141人中イベント歴ありは 4人…　2.8%
レベル=1　175人中イベント歴ありは 2人…　1.1%
レベル=0　139人中イベント歴ありは 0人…　0.0%

ができます。しかし自覚症状はないので、本人に危機感はありません。そのまま放置して、今の食習慣を続けていれば、プラークは年齢を重ねるごとにただ溜まっていくだけです。

40代になってかなり溜まってきても、ほとんどの場合、自覚症状はありません。しかしエコーでは、血管プラークが明瞭に確認できます。中には**狭心症（192ページ参照）や一過性脳虚血《きょけつ》発作（184ページ参照）などの自覚症状**があらわれることがあります。これは一過性なので見過ごされがちですが、それらの症状がある場合は、血管プラーク病を疑ってみてもいいでしょう。一度エコー検査を受けてみることをお勧めします。

50代になると、誰でもどこかしら具合の悪いところが出てくるものですが、血管プラークが溜まっていたら、重大な病気につながりかねません。

心筋梗塞、脳梗塞などの症状が出たときは、血管プラーク病としては末期です。専門医に診てもらって適切な措置を講じると同時に、**早急にエコー検査を実施し、プラークそのものを減らす努力**をしなければなりません。

できれば症状が出る前にエコー検査を行い、プラークが溜まっているようであれば、適切に対処することが大切です。血管プラーク病は**食事療法や薬の服用により予防できる**ので、早めの検診をお勧めします。

# 第2章

# 「脳梗塞」「心筋梗塞」は必ず予見できる

# 血管プラーク病は予知できる病気

私が血管プラーク病と定義した心筋梗塞、脳梗塞、虚血性《きょけつせい》心疾患などは、原因が血管内のプラークなので、エコー検査を実施することで明確に予知が可能です（42ページ参照）。つまり、起こる前にくい止めることができるのです。

これらの疾病は、その多くが生活習慣病とされ、近年ではメタボリック健診などで生活習慣の問診が実施されるようになりましたが、検査の内容は血液中のコレステロールや中性脂肪の値を測ったり、腹囲というかなり個人差のある数値を一律に測ったりしているのみです。私の研究ではコレステロールや中性脂肪値が正常でも、肥満でなくても、血管プラークが異常な数値を示している例がいくらでもありました。逆に太っていても問題ない人も多くいました。

細胞の突然変異で発生するがんの予測は、たしかに難しいものがあります。しかし脳梗塞、心筋梗塞などの血管プラーク病は、血管の内膜と中膜が肥厚して起こる単なる物理的現象です。動脈のプラーク厚を測るという検査は、単にそこにある物理的現象の数値を見るだけですから、単純かつきわめて明快です。

そして身体にまったく負担のないエコー検査で調べたその数値を基準に、食事の傾向を合わせて診断することで、血管プラーク病はかなりの確率で明確に予知することができるのです。

## つらいリハビリに通う人々

がんは怖いと多くの人が早期発見のための検査をしますが、ある意味ではがんよりも脳梗塞や心筋梗塞のほうが怖いのではないでしょうか。なぜなら、がんはたとえ発見されたときに**末期であっても、告知してもらえば、多少の猶予**があります。その間に仕事の引き継ぎをしたり、身の回りのものを整理したりできます。家族とも今後の話ができ、死への覚悟さえできる人もいます。

ところが、脳梗塞や心筋梗塞はある日突然やってきます。なんの準備もないままに、言語や身体の機能が失われます。一人では生きていくのが困難になり、家族にとっても、その後何年介護をし続けなければならないかわからない日々となるのです。

また、本人にとっては、幸い命を取りとめたとしても、その後はつらいリハビリの日々が待ち受けています。

脳梗塞の場合であれば、病気により脳細胞の一部が壊死《えし》したわけですから、多くの場合、そのままでは元に戻りません。四肢不全や言語障害などが残ってしまいます。脳はなんとか失われた機能を元に戻そうとして、神経の迂回路をつくろうとします。迂回路ができればある程度機能を取り戻すことはできますが、放っておいてもこの迂回路はできません。そのために必要なのがリハビリです。

歩行訓練や発音練習など、リハビリの内容はさまざまですが、新しい脳の迂回路をつくるためには、それこそ血のにじむような訓練を来る日も来る日も繰り返さなければなりません。

仕事ができないので収入の道は閉ざされたにもかかわらず、リハビリにはお金もかかります。家族など周りの人からの献身的な支えに頼るしかなくては、本人も大いに悩み、つらく苦しい日々を過ごすことになるでしょう。

しかもほとんどの場合、完全な回復にはいたりません。脳梗塞による障害は、一生抱え続けなければならないのです。

心筋梗塞でも同様に、以前のような日常生活を送ることはできなくなります。毎日薬を服用し、定期的に病院に通い、再発の危険に怯えることになります。

リハビリなどの「なってしまってからの努力」より、「ならないための努力」がきわめて大切なことがわかっていただけたでしょうか。

しかも「ならないための努力」とは、ほとんどの場合、**毎日の食事をほんの少し改善する**のみです。血管プラークを診れば、的確な対処法がわかります。そのためにもなるべく早く自分自身の血管プラークの状態を認識し、万が一危険な予兆を発見したら、「ならないための努力」に取り組んでください。

## 増え続ける脳梗塞と心筋梗塞（厚労省のデータより）

―血管プラーク病関連患者は１２６５万人―

私が血管プラーク病と呼んでいる、一過性脳虚血発作、脳梗塞、狭心症、心筋梗塞、血管性認知症、及びその関連病の糖尿病、高血圧などの方々は目が眩むほどたくさんおられます。

厚生労働省の調査によると、２００５年度の総患者数の内訳は、

（１）糖尿病　２４６万９千人
（２）脳血管性及び詳細不明の認知症　14万5千人
（３）高血圧性疾患　７８０万９千人
（４）虚血性心疾患　86万３千人

（5）脳血管疾患　136万5千人
　　計　1265万1千人

となっています。また、国内の糖尿病予備軍（2006年、厚生労働省調査）は1870万人とされています。

いわゆる「生活習慣病」と定義づけられている疾病群です。それぞれに対して、専門医は治療や予防、そのための研究を続けています。しかしなかなか患者数は減る気配がありません。もっと根本的かつ具体的な理由があるのではないか、予防や治療に直接的に役立つ方法はないものだろうか、そう考えていた私が巡り合ったのが、血管プラークだったのです。

血管プラークの怖さを知っていただくためにも、ここでもう少し詳しく、脳梗塞と心筋梗塞についてご説明しましょう。

## 脳梗塞は半身不随や言語障害など〝後遺症〟が怖い

急に意識を失って昏倒。誰かに気づかれずにいたら死にいたることもありますし、そうでなくても**半身不随や言語障害などの重大な後遺症**に悩まされる恐ろしい病、それが脳梗塞です。

野球の長嶋茂雄巨人軍終身名誉監督やサッカーのイビチャ・オシム前日本代表監督もこの脳梗塞を患い、日本中に大きく報道されたことは記憶に新しいところです。

また脳梗塞には、突発的なものだけでなく、手足のしびれや激しい頭痛、めまい、痛いほどの肩こり、言語障害、視覚障害などを伴いながら徐々に進行するタイプもあります。

脳梗塞は日本人の死亡原因の中でも多くを占め、後遺症による介護が必要となるなど、医療だけでなく社会福祉の面でも大きな問題であるやっかいな病気です。

脳梗塞は、どうして起こるのでしょうか？

脳細胞は正常に働くために、つねに酸素を必要とします。酸素は血液によって運ばれますが、なんらかの原因で血管が狭くなったり詰まったりすると血液の流れが止まり、**酸素を失った脳細胞は正常に働くことができなくなり、最悪、壊死してしまいます。**壊死した脳細胞は、決して生き返りません。幸い死を逃れたとしても、重大な後遺症が残るのは、このためです。

脳梗塞の後遺症には、例えば次のようなものがあります。

運動障害：半身の手足や顔面に力が入らない、思うように動かせない（半身不随）

感覚障害：左右どちらかの半身のしびれや震え

言語障害：意識はしっかりしているのにろれつが回らない、言葉が出ない、相手の言葉が理解できない

視力障害：左右どちらかの目が見えにくい、あるいは見えない。平衡感覚の狂いから、頻繁にめまいを起こすことも

意識障害：話しかけられても反応できない、反応できても迅速に対応ができない
嚥下《えんげ》障害：食べ物や飲み物を上手に飲み込めない

運動障害などは、リハビリを重ねることである程度回復させることは可能です。かといって脳細胞が生き返るわけではなく、脳の中では壊死した細胞を回避してなんとか神経の迂回路をつくる作業が行われているので、リハビリにはつらく長い年月がかかります。そのため本人だけでなく家族にも、多大な負担を強いてしまいます。

そしてこの脳梗塞の原因こそ、血管プラークなのです。脳内の血管で発生したプラークは、血管を詰まらせ脳梗塞を引き起こします。また頸動脈のプラークの一部が剥がれ落ち、**血栓が脳に流れ込んで脳梗塞を引き起こす**場合もあるでしょう。しかし今まで症状のない方で頸動脈狭窄《きょうさく》が60％以下の場合は、食習慣の改善を主体にした治療に本気で取り組めば、運命は変えられるのです。

これまで脳梗塞の原因として糖尿病や高血圧、肥満、脂質異常症（高脂血症）

等が指摘されてきましたが、直接の原因はこのプラークです。その主な犯人は食べ物なのです。

このため脳梗塞の予防には、まずプラークそのものに着目し、プラークを減らすことに重きを置いた予防に専念することが賢明であると思うのです。

## 心筋梗塞は突然激痛が走り死にいたることもある怖い病気

ある日突然、胸全体に「激痛」が走る。**あるいは呼吸が困難になり、冷や汗や脂汗が出る。**吐き気や頭痛におそわれる。こうした発作が30分以上続く。いきなりの激痛にショック死したり、急性心不全で死亡することも多々ある。これが心筋梗塞です。

知らず知らずのうちに、心筋梗塞が出現している場合もあります。壊死した心臓筋肉細胞の範囲と程度にもよりますが、不整脈や急激な心機能の低下が起きるのです。また一見心臓とは関係のなさそうなところに異変が出ることもあります。

背中やみぞおちの痛み、むかつき、左肩や腕のしびれ・痛み、頭痛やあごの痛みなどです。そのときはしばらくすると痛みが治まることもあるのですが、そのまま放置しておくと本格的な心筋梗塞に移行して、突然死を引き起こすことがあります。

通常、心臓の機能が低下したら、胸に痛みや息苦しさを感じます。さらにひどくなれば、**呼吸困難やチアノーゼ（酸素不足で血色が悪い状態）**があらわれ、命にかかわることもあります。

ところで本人はまったく症状を感じることがなく、また外から見ても症状が認められない場合もあります。とくに高齢者、糖尿病の方に、この無症状といったケースが多いようです。その理由ですが、冠動脈が徐々に細くなっていくため、別の冠動脈が助けていると考えられます。ただし重要な冠動脈が機能しなくなっているのは事実ですから、ある日突然、発症する危険性は高齢者の場合はより大きいといえます。

現在、日本人の死因の第3位は心臓に関する病気です。そしてその主な死亡原因となる病気が「心筋梗塞」なのです。

ほんの数年前まで、心筋梗塞は発病後24時間以内に急死する例が多く、また発病者の1／3は、1～2週間以内に死亡するといわれていた恐ろしい病でした。

しかし現在では、心臓疾患の集中治療室が整備され、以前に比べて死亡率はおよそ半分に減少しました。ただし、心筋梗塞の治療には専門の医師と看護師による綿密な治療と看護が必要であり、たとえ死を免れたとしても、長く困難な闘病生活が待ち受けています。

心筋梗塞は、文字通り心筋（心臓の筋肉で横紋筋と呼ばれます）へ酸素と栄養を運んでいる冠状動脈と呼ばれる太い血管が急速に細くなったり、血管が完全に塞がってしまって血液が流れなくなり、心臓の機能が低下したり、**心臓の筋肉細胞が死んでしまったり**する病気です。

その原因は、一言でいえばプラークです。冠状動脈の血管の内側にコレステロールが張りつき、それが溜まって塊＝プラークになり、この塊が破れて血小板や血栓が生じ、それが血管を塞いで心筋梗塞になるのです。

1999年の急性心筋梗塞の死亡者数は、男性約2万6千9百人、女性約2万3千人となっています。心筋梗塞は、過食や偏食、運動不足など、現代人特有の生活習慣病のひとつで、成人以上の人がかかる例が多いため「大人の心臓病」とも呼ばれています。

**とくに40〜50歳以降の男性で、突然に胸部の不快感、不安感を感じたら、**放っておかないで病院に行き、診察を受けたほうがよいでしょう。

## やせていても安心できない

血管プラーク病がいかに怖いかおわかりになったと思いますが、では、どうして血管内にプラークは溜まってしまうのでしょうか。

私は肝臓病の専門医なので、来院する患者さんたちには食習慣の指導も必要なため、簡単な食習慣アンケートをとっていました。このアンケートを、右鎖骨下動脈のプラークの存在を知ってから、注意して見てみると、プラークが堆積している人は決まって**肉が大好きで、食習慣が肉食に偏っていた**のです。

例えば、61歳の男性。右鎖骨下動脈プラーク（S-max）は3.3㎜もあり、リスクレベル3（最大が4。42ページ参照）。かなり危険な状態です。食習慣アンケートを見ると肉食が多いと書かれていました。

外見はやせていたのですが、実際に本人から毎日どんなものを食べているのかを聞いてみると、その食習慣には驚かされました。ホルモン、カルビが大好きで、**夕食に週に1回は焼き肉**を食べ、**ランチもトンカツやショウガ焼き、ハンバーグ定食、から揚げ定食**などを毎日食べていたのです。外食が多いので極端に野菜が少なく、肉ばかり食べていたそうです。

この話を聞きながら、この人が特別な人ではないかもしれない、外食の多い会社員の食習慣は、似たり寄ったりなのではないか、ということは、多くの人の血

## 60歳以上の人において、LDLや食の好みとプラークの高さの関係･･･イベント歴のない413人で調査

| | 食の好みグループ | S-max(mm)平均 | C-max(mm)平均 | LDL平均 | 平均年齢 | (人数) | |
|---|---|---|---|---|---|---|---|
| ↑プラークの溜まる食べ方 | ●肉：大好き<br>●甘いもの：(大)好き<br>●野菜：普通以下<br>●魚：普通以下 | 最悪の食習慣<br>3.83±1.07 | 2.01±0.80 | 109.9 | 62.0 | (8) | Ⓐ |
| | ●肉：大好き<br>●甘いもの：(大)好き<br>●野菜：普通以下 | 3.12±1.15 | 1.87±0.64 | 112.3 | 69.9 | (15) | |
| | ●肉：大好き<br>●甘いもの：(大)好き | 2.93±1.11 | 1.92±0.67 | 114.1 | 70.1 | (23) | Ⓑ |
| | ●肉：大好き | 2.64±1.06 | 2.06±0.80 | 110.1 | 69.7 | (45) | |
| | ●肉：普通 | 2.03±0.82 | 1.52±0.62 | 114.6 | 68.1 | (118) | |
| | ○肉：(大)好き<br>○甘いもの：(大)好き<br>○野菜：(大)好き<br>○魚：(大)好き | 1.97±0.67 | 1.73±0.73 | 113.6 | 68.1 | (27) | |
| プラークを低くする食べ方↓ | ●肉：普通以下<br>●甘いもの：普通以下<br>○野菜：(大)好き<br>○魚：(大)好き | 2.23±0.90 | 1.59±0.71 | 107.6 | 69.5 | (35) | |
| | ●肉：普通<br>●甘いもの：普通、好き<br>●野菜：普通、好き<br>●魚：普通、好き | 1.89±0.65 | 1.44±0.51 | 116.6 | 67.3 | (63) | |
| | ●肉：普通<br>●甘いもの：普通、好き<br>●野菜：普通、好き<br>●魚：普通、好き<br>LDL≦120 | 1.67±0.44<br>ベストな食習慣 | 1.36±0.49 | 94.1 | 67.7 | (35) | Ⓒ |

右ページの図は、イベント歴のない413人で、食の好みと血管プラークの値との関係を調べたものです。

## コメント

Ⓐ肉類が大好き、甘いものが(大)好き、野菜や魚不足の「食の好み」は最悪。平均S-max=3.83、しかしLDLは高くありません。

Ⓑ肉類が大好き、甘いものが(大)好きで平均S-max=2.93と高い。

Ⓒプラークがもっとも低いのは、肉は普通で甘いものや野菜、魚が好きな人たちでした。

1) ベストな食習慣は、Ⓒのグループの中でも、LDLが120以下の人たちでした。
2) LDLを低下させる食習慣のパターンは見出し得ませんでした。食習慣の変更のみではLDL低下は困難なのでしょう。
3) 論文提出後の研究では、プラークの高さ（堆積）に関与する因子でもっとも重要な因子は、
肉類の摂取過多、甘いものの摂取過多、野菜や魚不足の食習慣＞LDL高値＞TG高値＞高血圧＞糖尿病でした。

動脈硬化の真犯人は身近にいる食べ物なのです。
4) アルコールの過剰摂取は症例が少ないために番外ですが、食習慣同様に血管に影響が大きいようです。

＊P<0.05：統計学的に明らかな差がある
※P＜0.1：統計学的に傾向を認める

S-max=右鎖骨下動脈の血管プラーク、最大堆積部位の厚さ
C-max=頸動脈の血管プラーク、最大堆積部位の厚さ
LDL=悪玉コレステロールの値

管はかなり危険な状態なのかもしれないと思いはじめました。

また、別の意味で食習慣が極端に偏った患者さんも現れました。その方は53歳の男性で、右鎖骨下動脈プラーク（S-max）は3.6㎜もあり、リスクレベル4。大変危険な状態です。しかし、食習慣アンケートでは、肉は嫌いで食事は魚中心。これではプラークが溜まるはずはないのにと思い、

「日常の3食以外でとくに好んで食べていらっしゃるものはありますか」

と尋ねたところ、

「そうですねえ、実は私は飴の製造会社の研究員で、毎日試作品をかなりの量食べなくてはならないんですよ」

とおっしゃったのです。もしかしたら、糖分のとりすぎも血管プラークを堆積させるのかもしれない。そう考えているうちにまた1人、今度は、44歳と比較的若い方で、体形もやせている女性の方でした。魚が好きで、野菜も好き、肉は時々という模範的な食習慣です。しかし甘いものが大好きで、目の前に**ケーキやおまんじゅうがあれば、あるだけ食べていた**という方でした。エコー検査をした

ところ、なんと右鎖骨下動脈のプラークが3.4㎜！　この原因は、糖分以外に考えられません。

コレステロールや中性脂肪などの血液検査では、何も問題ありません。やせ形でもあり、従来の常識では判断できません。病気へのリスク判断は、血液検査より食習慣がより重要ではないか。

**――肉と糖分、このとりすぎが血管プラークを堆積させている**のだとしたら、詳細な点数化ができる食習慣アンケートを実施し、血管プラークとの相関を調べれば解明できる！

そこで、急遽《きゅうきょ》、看護師に手伝ってもらって対数的な配点法にした食習慣アンケートの改変を行いました。この原稿を書き上げるまでに500人の血管プラークと食習慣を数値化したデータが集まり、検証をしたところ、食習慣と血管プラークの高さが見事に相関していたのです（69ページ参照）。

この新しい食習慣アンケートからは、血管の中が見えてきました。巻末に載せましたので、ぜひやってみてください（200ページ参照）。あなたの食習慣が再確認できると同時に、エコーで見なくてもあなたの血管の中が見えてきます。

本書では、患者さんたちの承諾を得てこのアンケート結果を公開していますので、ご自分の日常と照らし合わせてみてください。また、食習慣の改善ポイントについても記しますので、それも参考にしてください。

## エコー画像でプラークを観察するだけで危険度はわかる

エコー検査で右鎖骨下動脈の血管プラークを観察すると、これまで**頸動脈の検査や脳のＭＲＩ**ではわからなかった脳梗塞や心筋梗塞の危険度や安全度をかなりの精度で予知できます。

現在まで１０３０例の血管エコーをした患者さんの中で、38例の脳や心血管イベント例（脳梗塞、一過性脳虚血発作、心筋梗塞、心臓カテーテル治療、冠動脈

## 血管プラーク年齢—あなたの血管は何歳ですか？

S-maxとC-maxの年代別平均値

| 年齢 | S-max(mm) (585) 男 | S-max(mm) (585) 女 | C-max(mm) (585) 男 | C-max(mm) (585) 女 |
|---|---|---|---|---|
| 30-39 | 1.29±0.49(19) | 1.16±0.53( 14) | 0.88±0.18(19) | 0.79±0.14( 14) |
| 40-49 | 1.47±0.67(40) | 1.49±0.62( 46) | 1.12±0.55(40) | 1.05±0.38( 46) |
| 50-59 | 1.59±0.52(52) | 1.73±0.58( 91) | 1.39±0.67(52) | 1.24±0.45( 91) |
| 60-69 | 2.25±0.92(68) | 1.89±0.67(126) | 1.57±0.69(68) | 1.38±0.56(126) |
| 70-79 | 2.20±0.87(39) | 2.19±1.07( 81) | 2.14±0.94(39) | 1.60±0.60( 81) |
| 80-89 | 2.10±0.60( 5) | 2.25±0.82( 4) | 2.06±0.80( 5) | 1.93±1.14( 4) |

* P＜0.05 by Student's t-test
（ ）内はサンプル数

〔真島康雄：日本超音波医学会誌 Vol.35(No.5) 2008.9.15 発行より〕

BMI　肥満度の指標
体重(kg)÷身長(m)÷身長(m)
18.5未満：やせている
18.5以上25未満：標準
25以上30未満：肥満
30以上：高度肥満

LDL 悪玉コレステロール値
基準値　139 mg/dl未満

TG　中性脂肪
基準値　149 mg/dl未満

HDL　善玉コレステロール値
基準値　40mg/dl以上

バイパス手術など）の血管プラークを診てきた私なりの確信です。

それでは、その代表的なケースを紹介していきましょう。まず、ケースを見る前にそこで使われているデータの読み方をご説明します。67ページ上の

## リスクレベルの読み方と私の治療方針

S-max =右鎖骨下動脈の血管プラークの最大堆積部位の厚さ
C-max= 頸動脈の血管プラークの最大堆積部位の厚さ
この2つの血管プラークの値を分析し、以下のリスクレベルが設定されている。42ページに図示。

レベル0　安全
S-max= 1.4以下かつC-max =1.3以下

レベル1　食事指導のみ（薬物治療も考慮）
S-max = 1.5〜2.0かつC-max = 1.4〜1.7

レベル2　食事指導に加えて、薬物治療（EPA製剤、コレステロール低下薬）
S-max = 2.1〜2.6かつC-max = 1.8〜2.1

レベル3　食事指導と薬物治療（EPA製剤、コレステロール低下薬、レベル4に近い人はバイアスピリンなどの抗血小板薬）
S-max = 2.7〜3.4かつC-max = 2.2〜2.4

レベル4　食事指導と薬物治療（バイアスピリンなどの抗血小板薬やコレステロール低下薬）
S-max = 3.5以上またはC-max = 2.5以上

### コメント

1）S-maxが見えない人は、大腿動脈（F-max）をS-maxの代用に。
2）S-max<F-maxの場合は、F-maxをS-maxの代わりとして判定。

## 危険度の読み方

50歳以上の370人での調査。

食と病歴アンケート点数（採血結果は含まれない）と血管プラークから判断されたリスクレベルから危険度を設定（下の表参照）。

| | | |
|---|---|---|
| 危険度0 | 69点以下 | 安全 |
| 危険度1 | 70点以上129点以下 | 食習慣を改善しましょう |
| 危険度2 | 130点以上299点以下 | 危ない！<br>ただちに食習慣を改善し、心配なら受診を |
| 危険度3 | 300点以上 | 危険！　すぐに検査を |

### コメント

1）食と病歴アンケートは、実際の血管プラークの測定値ときわめてよい相関をしている。C-maxよりも、S-maxやリスクレベルとの比較で明確。
2）血管プラークの堆積（動脈硬化）の主原因は食習慣であり、LDL、TGは高血圧や糖尿病とともに、その他の副原因といえるでしょう（論文参照）。

### 食と病歴アンケートの結果から予測される危険度

| アンケート結果（点） | 危険度 | 人数 | レベル 平均±SD | S-max 平均±SD | C-max 平均±SD |
|---|---|---|---|---|---|
| ～69 | 0 | 21 | 0.6±0.7 ┐* | 1.5±0.3 | 1.1±0.3 ┐* |
| 70～129 | 1 | 40 | 1.4±1.3 ┘┐* | 1.7±0.6 ┐* | 1.5±0.7 ┘ |
| 130～299 | 2 | 191 | 2.0±1.4 ┘┐* | 2.0±0.9 ┘┐* | 1.7±0.8 |
| 300～ | 3 | 118 | 2.5±1.3 ┘ | 2.5±1.0 ┘ | 1.8±0.7 |

* P<0.05 …統計学的に明らかな差がある
レベル：実際の血管エコー（S-max & C-max）で判断されたリスクレベル（右ページ参照）と食と病歴アンケートの結果との関係を統計学的に判定し、危険度を設定

表は年代別・男女別の血管プラークの平均値です。各ケースのプラークの値を見るときの参考にしてください。下は体脂肪の見方と、血液検査のデータの基準値です。この基準値内であれば正常とされています。また、医療関係者の参考のために、各ケースのデータにF-maxとA-maxの値も掲載しました。なお、すべての患者さんの了解を得ています。

## 右鎖骨下血管プラークの極端に多い例

**ケース1**

74歳　男性　高血圧症、糖尿病
肝臓手術の直前に脳梗塞。
コレステロール値や中性脂肪は正常。

S-max=6.1
C-max=3.9
**レベル 4**

食と病歴アンケート
684点
**危険度 3**

BMI=22.9
LDL=75
TG=82
HDL=75

F-max=3.0
A-max=3.4

1999年から私が肝臓病をフォローし、近くの総合病院で糖尿病の内服薬による治療を受けていた患者さんです。2005年に肝がんが見つかり、その1カ月後に手術のために入院予定でした。入院予定日の10日前に脳梗塞で倒れられました。そして2カ月半の入院&リハビリで肝臓手術が可能となり、幸いがんが小さかったために治療は成功しました。

2007年、肝がんの手術後2年も経って、初めて血管エコーを行いました。コレステロール値や中性脂肪は正常でした。肥満でもありません。今の健診では網にかかりません。しかしS-max=6.1㎜、C-max=3.9㎜、血管エコーしながら愕然《がくぜん》としました。血管にうずたかくプラークが溜まっているではありませんか！

患者さんが脳梗塞で倒れたとき、私はまだ血管エコーを行っておらず、——血小板が少ないのに脳梗塞は運が悪かった。でも肝臓の手術ができたのは不幸中の幸い。

と自ら納得し、フォローミスにまったく気づいていませんでした。

知らなかったとはいえ、**肝臓のエコー検査だけで満足していた当時の自分を情けなく思います。**思わず、

――すみません、血管を診てあげていたら、無駄な入院をしなくて済んだのに。

と小声で謝りました。幸いにもこの患者さんに脳梗塞の後遺症はありません。

――あのとき血管エコーを診ていれば、脳梗塞は防ぐことができたかもしれない。

現在はほぼ全例で血管エコーと乳腺エコーを行っていますが、今思えばちょっと気をつけるだけでつらい後遺症や命そのものを救えるのです。「お大事に」と「言葉かけ」をする前に、プロである自分が「血管エコー」という〝心がけ〟をするべきでした。このときの反省も、論文執筆のひとつの動機になったのです。

**ケース2**

79歳　女性　高血圧なし、糖尿病なし
採血と腹囲・体重では異常なし。

S-max=3.4
C-max=2.2
**レベル 3**

食と病歴アンケート
294点
**危険度 2**

BMI=21.6
LDL=116
TG=107
HDL=49

F-max=2.9
A-max=3.2

この患者さんはある日突然に酔っぱらったようになり、5～6分の意識消失発作を起こしました。実は、意識消失発作の3カ月前に血管エコーを行っていたのです。カルテには型通り頸動脈縦断のエコー写真があり、頸動脈の石灰化のみ記載、なんら対策も行っていませんでした。

その3カ月後に一過性脳虚血発作（脳梗塞前兆症状）が発生。再度、血管エコー検査を行いました。このとき初めて右鎖骨下動脈のS-maxを検査、結果はS-max＝3.4㎜でした。ちなみに頸動脈も測り直し、C-max＝2.2㎜の所見を得ました。今回は頸動脈も横断で注意深く検査した結果、より厚いプラークの部位が見つかったのです。いかに詳しく、注意して診るべきかを痛感しました。頸動脈のプラークを**血管の縦断面でのみ診るのは危険**です。

ただしS-max＝3.4㎜という値だけでも、脳梗塞の予知は十分にできたはずでした。ちなみに血液検査はLDL＝116、TG＝107とたいした値ではありません。HDLも49と正常です。BMI＝21・6なので肥満でもありません。はたしてこれまでのような**採血と腹囲や体重の測定**で、このような患者さんを血管プラーク病から守れるでしょうか？

## ケース3

67歳　男性　高血圧なし、糖尿病なし
頸動脈の血管プラークはC-max=1.0mmだったので油断していました。

S-max=3.2
C-max=1.0
**レベル 3**

食と病歴アンケート
684点
**危険度 3**

BMI=26.0
LDL=92
TG=68
HDL=48

F-max=1.3
A-max=1.2

2007年夏ごろに、2～3日続く立ちくらみのような「めまい」を感じて来院された患者さんです。

血管エコーでS-max=3.2mm、C-max=1.0mmの結果を踏まえ投薬。翌年の3月、薬の開始から3カ月後に自宅で脳梗塞発病。急にもうろうとして、目の前が暗くなり、なんとか電話で知人に知らせ、救急病院へ。電話後に意識消失。通常の点滴で意識回復し、MRIで2カ所の古い脳梗塞病巣と、小さいが新しい脳梗塞病巣を発見。治療後、幸いにして後遺症はまったくなく、元気に生活中です。

この方の食習慣を聞くと、この10年間はイノシシ肉を週に4～5回食べており、冷凍庫保管の**脂身がとくに好物**とのこと。イノシシ肉は牛より身体に害にならないという「うわさ」を信じていたそうです。肉は大好物で、ホルモンや霜降り肉も大好き。から揚げや鶏皮も大好き。甘いものも結構好きだったそうです。プラークが溜まった原因は明らかです。薬を替えて、食事指導を強化しました。

S-max＝3.2㎜という結果を踏まえ、脳梗塞、心筋梗塞のリスクが高いと判断。薬を投与していなければ後遺症があったり、長期入院したりしていたかもしれません。

また頸動脈だけの血管エコーでは、C-max＝1.0㎜だったので脳梗塞の予知は無理だったでしょう。世の中にはこのような方が意外に多いのではないでしょうか。

この方も、LDL、TG、HDLは正常でした。LDLやTGなどの**採血データや肥満の有無だけで判断すると**、患者さんを逆に安心させ、大変なことになるという一例です。

ケース4

73歳　女性　高血圧症、糖尿病なし
親、夫が脳梗塞。右鎖骨下動脈の狭窄率が47・5％
S-max=3.1
C-max=1.6
**レベル 3**

食と病歴アンケート
254点
**危険度 2**

BMI=20.0
LDL=91
TG=90
HDL=46

F-max=2.2
A-max=4.2
母親は75歳で脳梗塞、夫も2年前に脳梗塞で倒れ、寝たきり状態。2008年6月に血管エコーを行い、S-max＝3.1㎜、C-max＝1.6㎜でリスクレベル＝3だったので、ただちに危険な状態ではないと判断しました。しかし右鎖骨下動脈の大きさが普通より小さく、狭窄率は実に47・5％でした。ただ、この方の血小板は通常の半分以下の9万でした。血液サラサラ状態だったので、作用の強くない薬を処方。

1カ月後に、ご主人の介護の過労もあり疲れて寝た翌朝、立とうとするとふらつき、立ち上がれないような状態になります。ただちにタクシーで脳外科を受診し、MRIを受けましたが異常はありませんでした。一過性の脳虚血発作と診断され、その後も薬を服用中です。

この患者さんは薬を服用していたので、脳梗塞にならずに済んだのだと思います。血小板が7万〜10万と少なくても、脳梗塞や心筋梗塞になる方は珍しくありません。

ご夫婦や親族に脳梗塞や心血管イベント（心筋梗塞、冠動脈バイパス手術、バルーン拡張術、ステント治療）がある場合、血管プラークの状態が良くないという予想はよく的中します。この方の場合も、**母親、夫と生活を共にし、同じような食習慣を経て発病にいたった**と推測できます。

血管プラーク病は遺伝ではありません。私の食習慣アンケートでの感想では、ほとんどの場合が**食習慣の継承であり、夫婦間では食習慣の感染**のようです。よく「後を追うようにしてこの世を」という話がありますが、食習慣とプラークの観点から見ると、自然な成り行きに過ぎないのでは？　というのが私の仮説です。

## プラスα 心臓カテーテル検査

血液には身体を維持するために必要な酸素や栄養が含まれています。その大事な血液を身体中に巡らせているポンプの役目を果たしているのが心臓です。心臓は血液を送り出すために、拡張と収縮を繰り返していますが、その動きを担っているのが、心臓の筋肉、いわゆる「心筋」です。

身体中のすべての筋肉がそうであるように、心筋も動くためには酸素を必要とします。この心臓の筋肉に血液を運んでいるのが、冠動脈という血管です。冠《かんむり》のように心臓を覆っているため、そう呼ばれます。

冠動脈は大きく3本ありますが、どれもが心臓を動かすためにはとても大切な血管です。そしてこの血管にプラークが溜まったり、血栓が詰まったりすると、狭心症や心筋梗塞などの虚血性心疾患を引き起こします。どの場所がどの程度詰まっているかによって症状は異なりますが、それを確かめるためには冠動脈造影検査（心臓カテーテル検査）を行わなければなりません。

この検査はカテーテル（細い管）を心臓に挿入して造影剤を入れ、エックス線で左右の冠動脈を造影して血管の状態を調べる検査です。心臓そのものに管を入れるのですから、ある程度危険を伴いますし、決して愉快な検査ではありません。

# 第3章

# 食習慣があなたの寿命を決める

## 血管プラークはなぜできるのか

血管内の細胞は、普通ならタイルを敷き詰めたように整然と並んでいます。しかし長年の間ＬＤＬコレステロールや脂質にさらされ続けると、血管の内側は傷ついて所々タイルが剥がれたような状態になっていきます。そのタイルが剥がれたところから、ＬＤＬコレステロールがさらに血管の奥深くに入り込み、酸化ＬＤＬへと姿を変えます。

この段階になると、人間の身体は酸化ＬＤＬを追い出そうとして白血球の一部であるマクロファージ(大食細胞)を出動させ、酸化ＬＤＬを食べまくります。

多くの酸化ＬＤＬを食べまくったマクロファージは、破裂して死んでしまいます。その結果、血管の壁の内側には**マクロファージの残骸と脂質**が溜まっていきます。こうして膨《ふく》らんだ堆積物がプラークです。そして膨らんだプラークは、血管をさらに狭くしていきます。またこの過程で、血管の内皮細胞にもさまざまな異常が起きます。

例えばプラークが膨らむと血管に傷がつき、これを修復しようとして血小板が集まってきます。血小板は出血を止める働きをしますが、同時にプラークに付着した血小板はさらにプラークを大きくしてしまいます。そして**大きくなったプラークはさらに血管を傷つけ、血栓（血の塊）ができる**のです。

健康な血管であれば、血栓を溶かす働きがあるので、血管が詰まるようなことはありません。しかしプラークの堆積によって動脈硬化の起こっている血管では、**血栓を溶かす働きが低下**しています。このため血栓はそのまま血管に残って堆積し、血管を詰まらせるか、あるいは血管から剥がれて血流にのり全身を巡ります。その結果、流れ出た血栓は心筋梗塞や脳梗塞など命にかかわる病気を引き起こしてしまうのです。

もうおわかりでしょうが、血管内に流れるＬＤＬコレステロールや脂質が少なければプラークはできにくくなります。ＬＤＬや脂質を増やすのは、ご本人の食習慣です。つまりすべての原因は食習慣なのです。では、どんな食習慣がいけないというのでしょうか。ここにひとつの報告書があります。それは今から30年以上も前に発表されたものでした。

## 『マクガバン・レポート』が語るもの

以前、血管造影の学会誌でアメリカでは頸動脈内に脂肪が溜まる人が多い、という論文を読んだことがありました。その記憶は頭のほんの片隅に残っているだけでしたが、今回の調査をするまで、久留米という日本の一地方都市の人たちの頸動脈や右鎖骨下動脈に、こんなにもプラークが溜まっている事態が起きているとは想像もできませんでした。

米国人の総コレステロールは、1980年から急速に低下しています。そのきっかけとなったのが、あの有名な『マクガバン・レポート』です。1977年、アメリカで心筋梗塞などの血管プラーク病が蔓延《まんえん》したため、「国民栄養問題上院特別委員会」が設立され、マクガバン委員長の名を冠したレポートがまとめられました。その内容は「がんや心筋梗塞、糖尿病などの増加は食習慣の誤りにあり、肉、卵、乳製品、砂糖の摂取を控えるべき」というものでした。

この報告を受け、多くのアメリカ人は指摘された食物を控えるようになり、その結果**コレステロールの減少**、それに由来するさまざまな疾病の減少につながっていったと推測されます。

ところがアメリカで発表され、全世界的に話題を集めた報告から30年以上経った今、日本では砂糖を問題視していません。それどころか日本では１９８０年からの10年間に、総コレステロール値は著しく上昇しました。飽食を尽くした日本のバブル景気という理由はあるでしょうが、その結果、１９９０年代初頭には、**米国人と日本人の総コレステロール値はほとんど同じに**なってしまいました。しかも現在でもその状況は続いていて、日本人の総コレステロール値はいまだに上昇を続けています。

ところで『マクガバン・レポート』で提唱された理想的な食事とは、「元禄時代以前の江戸時代の食生活：穀類を主食にして、**豆類、野菜、海藻、小魚や魚介類を少量**」だったそうです。穀物も、精米技術がまだ発達していなかった時代のお米がよいようです。理由は**胚芽にビタミン、酵素、ミネラル、食物繊維が含まれているから**です。

このレポートの反響が、全世界的な日本食ブームを起こしたといってもいいでしょう。しかしいくら日本食ブームといっても、アメリカ人が主食を玄米にするのは文化的にも大変なことです。

日本人なら、お米にはなじみがありますし、白いご飯が好きな人は、サプリメントで少量のマルチビタミン＆ミネラルを摂取してもいいでしょう。脂質や脂肪酸がきわめて少ない**〝白いご飯〟中心の伝統的な日本食に戻す**だけでも、血管プラーク病は進行しないはずです。

30年以上前に『マクガバン・レポート』が提唱した健康への提言を、今こそ日本人は見直すべきだと思います。

## 脳梗塞、心筋梗塞と食事との密接な関係を証明

50代後半の男性が、インターネットでご自分の体験談を公開されていました。

1年前に一過性脳虚血発作があり、倦怠感が強くなり受診。脳梗塞と診断され、4日後には半身麻痺に。病院に入院し、長い闘病生活とリハビリの日々……とつらい状況を克明に報告されていました。

しかし、病気になる前の食習慣に対する回想や反省は、まったく述べられていませんでした。

これは従来の医療サイドにも原因があります。高血圧や糖尿病といった病気は、医師も厳しく食事指導するように教育を受けています。一方で脳梗塞や心筋梗塞の原因に関しては、専門病院のホームページなどで以下のような項目が紹介されています。

『過労、喫煙、肥満、睡眠不足、急激な外気温変化、高血圧（動脈硬化の促進）、糖尿病、脂質異常症（以前の高脂血症）、多血症（貧血の反対の病気）、高尿酸血症、深酒、過食（肉類、菓子類、果物）、過飲（甘いジュース類）』

この原因の列挙をご覧になり、どれが本当の原因かおわかりになるでしょうか？

今回の私の研究では、血管プラークが溜まるほとんどの原因は食習慣にあるのですが、私の学生時代でも食事に関する詳しい講義は記憶にありません。

遺伝的に血管プラークが溜まりやすいという人は、ごく一部です。大半の理由は、食の好みです。親・兄弟などの誰かが脳梗塞、心筋梗塞だった場合も、それは遺伝ではなく、**親族に共通する食習慣が理由**と考えられます。夫婦、兄弟、両親、従兄弟に罹患者がいる場合は、もう一度あなた自身の食習慣を見直してみることをお勧めします。

また、最近のテレビ報道で、独り住まいの男性（中高年）の心筋梗塞になる率は、通常の男性よりも数倍も高い、と紹介されていました。でも報道はそこまでで、なぜ？　という原因究明にまでは踏み込んでいませんでした。

私なりに思うのですが、独り住まいの中高年男性の心筋梗塞が多いという結果がわかったのなら、その方たちの食習慣を徹底的に調べるべきではないでしょうか。

おそらく家庭食を食べている男性と比べると、独り住まいの中高年の男性の方はプラークが高いのではないでしょうか。外食が多く、しかも**ほとんどが揚げ物や肉料理**で占められているのではないかと想像できます。魚や野菜類の食事は、そうと意識していなければ食べられませんから。

今回のテレビ報道を通じて、私は自分の研究の正しさを予感できたのです。

先日、私と同じ年の従兄弟が、東京で長い独り住まいの末、心筋梗塞で亡くなりました。また秀才の誉れ高く、母校の教授にもなった同級生のS君は、出張先の東京で心筋梗塞で倒れて他界しました。そしてそれからすぐ、私の1年後輩で、大学の出張病院では苦楽を共にしたM君が、突然心筋梗塞で他界してしまいました。

この1年で私の周りの同年齢（58歳）の男性が次々と倒れ、帰らぬ人になってしまったのです。

私が右鎖骨下動脈の血管プラークの存在を発見し、食事との関係の調査をはじめた矢先のできごとでした。残念でなりません。ご冥福をお祈りします。

## 食習慣に潜む悪魔たち

患者さんの血管をエコーで見ながら、食習慣に関するお話を聞いていると、ほとんどの方が、「家に若い者がいるから、肉が多くて」とか「肉を食べないと元気が出ない」「揚げ物が好き」といった話をされます。

また、外食先や持ち帰り弁当屋などで血管に脂肪が溜まらないような食事を頼もうとすると、きわめて難しい。メニューはすべて**揚げ物、肉もの、油炒め物が**

**中心**だからです。

健康を気遣って注文しようにも、店には血管の脂肪を増やさないような料理がないのです。

今日本人の口に入る料理は、ほとんどが油で加熱したものです。この国の食生活は一体どうなってしまったのでしょう。

**将来の国を支えるべき10～30代の人たちの食習慣を、今すぐ改善**しなければいけません。そうしないと脳梗塞、心筋梗塞の患者が大勢病院に押し寄せ、脳外科医や心臓外科医が夜も眠れなくなります。血管性の認知症患者が急増し、今よりもっと看護師が不足してしまいます。

21世紀の国民病は脳梗塞、心筋梗塞、血管性認知症などの「血管プラーク病」であることは、時計の針が右に回転するのと同じく間違いないことです。

「禁煙キャンペーン」は日本でも少しずつ広がっています。次は「血管プラーク病予防キャンペーン」が必要ではないかと私は考えています。

学校でもぜひ教えていただきたいのです。食育のめざすところは、血管プラーク病消滅であるはずです。学校に1台ずつ超音波装置を設置して実際の検査の様子を見せ、「こういう食べ方をするとここに脂肪が溜まり、溜まるとこうなる」と教えるのです。映像を使った教育は効果も絶大だと思います。

## 脂肪は便では出ない

血管プラークが溜まっている患者さんに動物性脂肪を控えるよう説明するとき、「脂肪分は排便では身体から出ません」と説明すると、多くの方は一様にびっくりされます。

私はむしろ患者さんのこの反応に、驚いてしまいます。

たしかに脂肪分が排便で身体の外に出る「腸管の吸収障害」という病気はありますが、これはあくまで病気であって、通常は**食事**でとった**脂肪分**は、そのまま**身体の中に吸収**されます。

「とりすぎた脂肪は身体に溜まる、便からは出ない」。このことを多くの方はご存じないようです。

そもそも人類は、栄養をとることの難しかったつらい氷河期を乗り越え、今にいたるまで生存を続けています。生存競争の厳しい自然淘汰は慣れているはずです。もし人類が便に脂肪が多く出るような種であったら、はたして今日まで生き延びられたでしょうか。

脂肪分は、もっともエネルギーを発生させる食べ物です。しかも、神様は果物などの**糖分も、余れば脂肪に変えて備蓄できるように**人類に取りはからってくれました。モンゴルの**寒い地方の人は、客人を豚の脂肪でもてなす**、と聞いたことがあります。客人へのやさしい気遣いかと思います。

暖かい日本では、食べた脂肪分はほとんどがいったん腸管から血管に取り込まれて、血管の中をグルグル回りながら、皮下脂肪や肝臓内に脂肪として蓄えられます。そしてその一部は、血管内にプラークとして溜まります。

人によっては、脂肪が血管内のプラークとして蓄積されやすいタイプの人もいるでしょう。

そうであるならば、これまで分類されていた肥満のタイプの「皮下脂肪型」「内臓脂肪型」に加えて「血管脂肪型」を提唱したいところです。

いずれにしても、とりすぎた脂肪分は便として排出されることはなく、形を変えて体内に蓄積される。溜まりすぎた**脂肪がさまざまな病気の原因**になる、ということだけは覚えておいてください。

## 現代人は塩分より糖分に注意

日本は海に囲まれ、古来塩分は豊富にありました。現在でも、おいしい漬物は全国各地にあります。このため昔の日本人は塩分摂取過多の傾向にあり、脳出血の原因の多くも塩分のとりすぎによる高血圧でした。

しかし日本の医学界へ早期に導入された聴診器や血圧計により、本人に自覚症状が出る前に容易に高血圧を発見できるようになりました。塩分制限が強調され、このため高血圧が原因となる脳出血を予防できるようになり、罹患率も減っていきました。

しかし現代は食習慣の変化により、漬物を自宅で漬ける人も減り、漬物販売も以前より落ちているようです。そんな急激な食習慣の変化に対応していないのか、糖尿病の患者さん以外は、自分たちは**塩分過多ではなく糖分過多である、という自覚や危機意識**に欠けているような気がします。

多くの症例を血管エコーで検査し、さまざまな患者さんの食習慣を分析することで、私は砂糖（糖分）がいかに血管のプラークを積もらせる犯人の一人であるかを明確に認識できました。

しかしプラークが高く積もっている人でも、

「私は糖尿病ではない。予備軍でもない」

と確信していらっしゃいます。だから糖分を制限するようにと注意しても、ひとごとのように聞いていています。悲しい誤認識です。

われわれ医療関係者の責任でもありますが、糖尿病があたかも敵の大将であるかのような錯覚に陥らせていたのです。糖尿病になってから、心筋梗塞、脳梗塞、腎不全、血管性認知症、大動脈瘤、末梢の閉塞性動脈疾患に移行するのではありません。

体内で燃え残った糖分が脂肪成分に変化し、血管プラークをうずたかく堆積させ、さまざまな血管プラーク病を引き起こすのです。

多くの場合は**糖尿病と診断される以前に、血管プラークが音もなくシンシンと積もっているの**です。怖いのは尿に糖が出たり、血液中の糖分が上昇するという現象ではありません。

「敵は血管プラークにあり」

なのです。

極論すれば、

糖尿病でも血管内にプラークが溜まっていなければ不幸中の幸い。

脂質異常症（高脂血症）でも血管内にプラークが溜まっていなければ心配なし。

肥満でも血管内にプラークが溜まっていなければ心配なし（ただし過度の肥満は、**関節や心臓に負担**となります）なのです。

逆に、糖尿病でなくてもプラークが積もっていれば大問題。

脂質異常症でなくてもプラークが積もっていれば、大問題。

肥満でなくてもプラークが積もっていれば、大問題なのです。

誤解しないでいただきたいのですが、私が言いたいのは糖尿病という病気を軽視するわけではありません。しかし一番に気をつけるべきは「血管プラークの堆積によって生じる病気である」ということです。

つまり血管エコー検査を受けることなく、単なる血液検査だけで、「糖尿病予備軍でもありませんので、安心してください」と言われても絶対に安心しないでください、ということなのです。

血糖が高いかどうかも大切ですが、プラークが溜まっているかどうか、それがより重視すべき検査結果なのです。

# 糖分こそ最大の元凶

糖分で、なぜプラークが溜まるのか?

お菓子は好きだが運動はしている、肉や脂肪は食べていない。そんな人たちの血管に、なぜプラークが溜まるのでしょうか?

私の考えですが、大きな理由が2つあります。

(1) 菓子類は意外と脂質の含有量が多い

文部科学省が発表している食品成分表を見ると、**菓子類には意外と脂質の含有量が多いことがわかります。**植物油やナッツ系も要注意です。揚げた魚や麺やポテトなどでも、脂質は口に入ってきます。パンや乳製品でも、脂質や飽和脂肪酸を食べていることになるのです。

## （2）糖分と脂肪分では、まず糖分が燃える

体内に入った脂肪は、身体を動かすためのエネルギーとして使われる以外は、いったん脂肪として身体の中に蓄積されます。

では運動をしたときに、筋肉の中で最初に燃やされるのは、糖分でしょうか、脂質でしょうか？

答えは、糖分です。なぜなら、一度細胞の中にしまい込んだ脂肪より、**血液中を流れている糖分のほうが、手っ取り早く使えるし、燃えやすいからです。**燃えやすいものから、燃えるのは自然なこと。消し炭が燃えやすく、石炭は燃えにくい、それと同じ理屈です。飴玉1個（34 k cal）でも糖分はかなり含まれており、早足で約7～8分歩かなければ使い切ることはできません。

しかも余った糖分は、そのままでは人間の身体には溜まりません。血液中の糖分が170mg／dl くらいに上昇すると、腎臓から体外に排出されるように設計されているからです。血液中の糖分の濃度が上がると、浸透圧が高くなりすぎて、頭がボーッとなったりします。このように、砂糖を身体の中で蓄えられないので

早く燃やしてしまえ！　ということかもしれません。

ところで使われなかった余分な糖分は、脂肪に形を変えて体内に蓄積されていきます。大きなお世話と思われるでしょうが、氷河時代を生き抜くようにとの「神のあたたかい思いやり」なのです。「血管に脂肪が溜まってます」と話すと、「脂肪は嫌いで、食べてません」と言う方がいますが、糖分や炭水化物、タンパク質なども、燃え残ったら熱効率（カロリー）がもっとも優れた脂肪に変化するのです。そしていつの日かまたエネルギーとなる日を待つわけですが、現代の日本のように食事の環境がいいと、消費する機会がありません。そして脂質はいつまでも脂質として体内の皮下脂肪や内臓脂肪、そして血管プラークとなって溜まり続けるのです。

糖分をとりすぎると、脂肪が溜まる。脂肪ももちろんですが、糖分にも油断をしてはいけない。それが血管プラーク病を防ぐための食習慣改善の最初の一歩といえるでしょう。

食事と血管プラークとの関係を詳しく述べた論文は医学の世界にほとんど存在

しません。糖分がプラークを溜める重要な犯人だった、ということは、右鎖骨下動脈のプラークを観察し食習慣アンケートをして、初めてわかったことなのです。

## 「糖分がボケを防ぐ」のウソ

私の患者さんの中で、お年を召しているのにもかかわらず、毎日おまんじゅうなどの菓子類を欠かさず食べ、多すぎる糖分をとっている方がいらっしゃいました。しかも本人は甘いものは嫌いではないが、特別好きというほどではないということだったのです。なぜかと理由を聞くと、「テレビで『糖分をたくさんとるとボケを防げる』といっていたから」ということでした。

私はそのテレビを実際に見たわけではないのですが、おそらくは「認知症の脳細胞に糖分は必要」あるいは「脳が活発に作動しているかを見るのに、PET検査で見ることがありますが、このときは脳細胞のブドウ糖の消費量で見ます」といった解説を自分に都合よく、「糖分は制限しなくていいんだ！」と「解釈」したのではないでしょうか？

私がまだ小、中学時代の1950～60年代は砂糖は貴重品で、角砂糖など自分で食するなどもってのほか、もっぱら親戚の人のお葬式やお盆の際の仏壇へのお供物として遠くから眺めていたものでした。甘いジュースが、たまに飲めれば幸せな時代でした。でもそんな糖分不足の時代にも、私の周りに認知症の老人は一人もいませんでした。

ところでこの患者さんですが、明らかに必要以上の糖分のとりすぎにより、プラークはうずたかく積もっていました。脳梗塞や血管性認知症の危険性、大です。むしろこんな方にとっては、「糖分をとるとボケやすくなる」といったほうが正しいのです。

たしかに**脳細胞に限らず、すべての細胞にとって糖分は必要**です。しかし昔と違い、現在は果物やデザートなどにより、必要以上の糖分が身体に入ってきます。身体を維持するための糖分は、日本人は十分に摂取しています。もうこれ以上、普通の生活をしている日本人に糖分は必要ありません。問題は、脳細胞に糖分を運ぶ「血管」なのです。

脳の細胞よりも、脳血管が重要なのです。脳梗塞も認知症も、その原因の多くは血管に起因するものだからです（認知症についてはその原因はすべて解明されているわけではありませんが）。これは心臓や腎臓、筋肉でも同じで、それぞれの場所へ糖分を運ぶ血管に問題が生じれば、さまざまな障害を起こします。

糖分を制限することの重要性は、1977年、今から30年以上昔に、すでに米国政府が多額の費用と7年という長い時間を費やして食と病気を研究し、米国民に勧めています。

血管プラーク病を予防するためには、食事療法、なかでも糖分の制限がきわめて大切です。糖分を控えるとボケになるなどということは決してありませんので、**高齢者であっても日頃の生活では糖分を控えめにしていただくよう、ぜひお勧め**します。

# 果物の糖分はいいのか？

糖分を控えるように患者さんに説明をすると、「では果物の糖分ならいいのでしょうか？」とよく質問されます。

糖分とは糖質全般のことで、入れ物が植物でも野菜でも果物でも、粉末そのものでも大差はありません。

大根から砂糖ができるのをご存じですか？　サトウダイコンといいます。北海道が産地ですが、なんと糖分が14～17％もあるそうです。サトウダイコンの食べすぎには注意しましょう。ダイコンは野菜なので糖分をとっているという認識がないかもしれませんが、サトウキビも植物です。そう考えると、おわかりになるかと思います。

糖分の多い甘い果物からは、当然多くの砂糖もできるでしょう。ただし砂糖に加工するよりも果物で売ったほうが利益になるから砂糖にしないのです。

糖分を制限すべき人は、**甘い果物を控える必要があります。**

以前テレビで、ミカンが糖尿病に効果があるという〝間違った情報〟が流れたことがあります。その影響なのか、血糖がなかなか安定しない「ミカン大好き」な人がいました。1日に10～30個食べていて、果物だから、お菓子でないからいいと思っていたらしく、その習慣をやめたら、血糖が驚くほど安定しました。

果物は年に1回しか実をつけません。果物には**季節があり、保存もあまりできないため食べる量も昔は少なかった**のです。

しかし現在は糖度の高い果物に高値がつき、健康にいいはずの糖度の低い果物には安値がつきます。血管プラーク病を予防する立場からいえば、糖度が高く値段も高い果物はなるべく少なく、糖度が低く値段も手頃な果物は適度にいただくようにしましょう。そのほうが経済的でもありますし。

# まんべんなく食べるのはダメ

血管プラーク対策の食事療法でもっとも効果的なのは、「大好きなのは何もなく、普通に何でも食べるが、肉は少し少なめ」でした。

最悪なのは、いうまでもなく「脂質や糖分の多いものを好きなだけたくさん食べる」です。

では「まんべんなく食べる」という方法は、どうでしょうか？

一見すると、この方法はなんの問題もないように思えます。偏らない食事をすることは、身体や健康にとってとてもいいと思えるからです。

ところが、このタイプの食習慣は、血管プラーク病対策としては、あまり勧められないのです。

なぜなら、

「洋風バイキングは病へ誘う飽食の宴」だからです。

外食の際に肉や揚げ物ばかり食べるのは要注意、と何度も指摘させていただきましたが、油断ならないのが〝バイキング〟です。ホテルのレストランや立食パーティなどでよくバイキングが提供されますが、いろいろとおいしそうな料理がテーブルいっぱいに並べられ、目移りしてしまいます。

たまのことだからいいか、とつい油断しがちですが、バイキングだとつい好きな料理（＝血管にプラークが溜まりやすい料理）ばかり食べてしまいがちです。しかも自分の食べた量がわかりにくいので、ついつい食べすぎてしまいます。

〝好きなものを好きなだけ食べる〟

これこそ、血管プラーク病を悪化させる最大の原因です。

これからは野菜を中心とした「健康バイキング」などの配慮も必要な時代なのではないでしょうか。

## 子どものころからいかに自覚させるか

２００８年12月のテレビで『子どもに広がる動脈硬化……』の報道がありました。

その冒頭で28歳の米国人の冠動脈の血管断面の写真に、目が釘付けになりました。

その血管内には、かなり肥厚したプラークがあったのです。

その血管は摘出標本でしたが、血管エコーをするだけで、発病のはるか前に同様の肥厚したプラークが見られたに違いないのです。

番組では、30代前半の日本人男性の心筋梗塞の実例を紹介していました。

動脈硬化で心筋梗塞などを発病する年齢が、急速に若年世代にも広がっているらしいのです。原因が、食習慣の欧米化にあることは疑問の余地がありません。

私が経験した糖尿病も高血圧もない33歳の女性は、Ｓ-ｍａｘ＝3.4㎜、Ｃ-ｍａｘ＝

1.1㎜、F-max＝1.0㎜、A-max＝1.4㎜と右鎖骨下動脈のプラーク（S-max）のみが危険レベルまで厚くなっており、その食習慣は参考になると思います。
その方の食歴ですが、中学時代は豚足が大好きで、2～3日に1度は食べていたそうです。高校時代から25歳ころまでは2日に1度は肉を多く食べる食生活で、その後も現在まで、週に1度は肉を多く食べていました。

甘いものは好きではなく、野菜と魚は普通に食べていたそうです。

受診時は、ややややせ形（BMI＝18・2）でLDL＝96、TG＝81、HDL＝54と問題ありませんでした。

食と病歴アンケートは264点と高く、母親は60歳で脳梗塞で倒れた後に67歳で心筋梗塞を併発したそうです。

動脈硬化を進行させる一番の原因は、加齢や性別、コレステロール、肥満、高血圧、糖尿病などではなく、子どものころからの食習慣なのです。

動脈硬化（血管プラークの肥厚）は簡単に目で見ることができるのですから、若者の全身の血管プラークをビジュアルにエコーで見せるやり方は、若者へ強いインパクトを与えるのではないでしょうか。

人間の身体で一番大切かもしれない器官の動脈が詰まれば、ものを食べられなくなったり、歩けなくなったり、目が見えなくなったり、死んだりするのだよ、と教えるのです。そうしたら、元気で健康に生活している若年者の血管に肥厚したプラークがあれば、「健康ではないんだよ」と言えるのですから。

## タバコと動脈硬化の意外な関係

タバコが動脈硬化を促進させる因子として、世界中で認知されています。

しかし、今回の食と病歴アンケートから意外な事実が浮かび上がってきました。

タバコは男女差があるために、男性のみの195名で、喫煙歴の点数を加算しない食と病歴アンケート点数を調べました。

すると、1日41本以上吸う人（16名）の平均は425点、1～40本吸う人（77

名）の平均は287点、タバコを一度も吸ったことのない人（102名）の平均は267点でした。

つまり、1日41本以上吸うヘビースモーカーの人は、肉類や甘い食品を多く摂取されていることが、科学的に判明したのです（P<0.002）。

1日41本以上吸う人は、平均でS-max＝3.0㎜、C-max＝2.1㎜、平均年齢＝64・0歳、1～40本の喫煙者はS-max＝2.1㎜、C-max＝1.9㎜、平均年齢＝61・5歳、非喫煙者はS-max＝2.1㎜、C-max＝1.8㎜、平均年齢＝65・5歳でした。

結果だけ見ると、喫煙が動脈硬化の大きな因子に見えますが、その裏に食習慣が潜んでいることを理解しておかなければいけません。

「タバコをやめると太る」と言われる訳が、解明されたように思います。ヘビースモーカーは、もともと大食いの方々なのではないでしょうか。

喫煙と食習慣の変更をセットでやりましょう。

# 人のふり見て我がふり直せ

第2章で食習慣アンケートの結果とその方の血管プラークの数値が相関していたと書きましたが、患者さんの了解を得て、ここに10のケースを公開いたします。食習慣がご自分と似ている人がいたら、その人の血管プラークの値に近いと考えられます。まさに「人のふり見て我がふり直せ」です。リスクレベルも掲載していますので参考にしてください。

データの読み方は67～69ページを参照してください。

# 肉大好き

**ケース1**

55歳　男性　高血圧なし、糖尿病なし
肉が大好き。健診では問題なかった。

S-max=2.6
C-max=3.4
(頸動脈50%狭窄)
**レベル 4**

食と病歴アンケート
450点
**危険度 3**

BMI=20.8
LDL=110
TG=154
HDL=63

F-max=1.0
A-max=1.6

昔から肉が大好き。とくに脂身、バラ肉、カルビ、鴨肉の皮が大好きで、外食も多いほうです。豚骨ラーメンは週に2回、スープは全部飲む。焼き肉やハンバーグ、ハンバーガーはそれぞれ週に1回。野菜と魚は普通。甘いものはあまり好物ではないそうです。またお酒は飲めない体質で、タバコも吸いません。運動は毎日していて、早朝に遠くまで山歩きもしていました。健診では異常がなく、糖尿病や高血圧の傾向もなし。糖分や肉も食べていいと思っていました。

健診では異常がなくても、食と病歴アンケートでは危険度3。血管エコーでは、

S-max=2.6㎜、C-max=3.4㎜なので、血管プラークは危険域のレベル4です。
肉は大好きだが運動しているし、健診にも引っかかったことがないので自信はあったそうです。

## ケース2

61歳　男性　高血圧なし、糖尿病なし
肉が大好き。
心臓カテーテル検査をしている。

S-max=2.4
C-max=3.3
(左総頸動脈52%狭窄)
**レベル 4**

食と病歴アンケート
547点
**危険度 3**

BMI=19.2
LDL=75
TG=40
HDL=73

F-max=4.2
A-max=3.1

最初の質問では、肉は好きで、魚や野菜は普通で甘いものも普通とのことでしたが、よくよく聞くと、20~30年の間、週に2~3回は霜降りステーキやカルビ、週に1回はもつ鍋、ハンバーグは週に1回、すき焼きを週に1回、しゃぶしゃぶを週に1回、天ぷらを週に1回。トンカツは週に1~2回。日本酒は毎日4合以上を20年以上。タバコは30年間、1日40~60本という方でした。

ご両親はともに80代後半で脳梗塞を発病し、倒れられています。

3年前に心臓カテーテル検査をし、軽度の狭窄程度と診断されましたが、とくに治療は不要とのことでした。昨年も検査したが変化なしということで安心していたということです。

聞いているうちにめまいがしそうになるほどの肉好きの方でした。通常、頸動脈のなかでも総頸動脈は血管が直線的なので、プラークはあまり溜まりません。しかし、この方は、左の総頸動脈には52％もの狭窄が、右の総頸動脈にも30％の狭窄がありました。

このような方は、将来血管性認知症にもなりやすいと思われます。心臓カテーテル検査では狭窄が軽度であっても、脳梗塞のリスクが低いという保証はありません。

## ケース3

46歳　男性　高血圧なし、糖尿病なし
子どものころから肉が大好き。

S-max=3.0
C-max=1.2
**レベル 3**

食と病歴アンケート
263点
**危険度 2**

BMI=19.4
LDL=121
TG=128
HDL=55

F-max=未
A-max=2.3

子どものころからハンバーグ、から揚げ、ハムステーキ、豚骨ラーメン、油炒め料理、天ぷらが大好きで、いずれも週に1回は食べていました。その他好きな食品はクジラや豚のベーコン、バラ肉、ホルモン、カルビ、ハンバーガー、霜降り肉、鶏皮、サラミ、チャーハンなど。ラーメンスープは半分くらいは飲み、ジュースやコーラなどの糖分入り飲料水を毎日350ml飲んでいました。魚は好きなほうですが、野菜はあまり好きではないそうです。

46歳でS-max=3.0mmはきわめて危険。大好きな食品、好きな食品の摂取量が半分であったなら、S-maxは単純に1.5mm程度であったでしょう。46歳でS-max=1.5mmならば、同世代の平均程度です。このままの食習慣を続ければ確実に、5～7年できわめて危険なレベルのＳ-ｍａｘ＝3.6㎜になるでしょう。まず食習慣を完全に魚、野菜中心に変更しなければなりません。

## 甘いもの大好き（糖分過多）

**ケース4**

75歳　男性　高血圧症、糖尿病

子どものころからご飯に砂糖をかけていた。

S-max=3.6
C-max=1.9
**レベル 4**

食と病歴アンケート
398点
**危険度 3**

BMI=23.4
LDL=99
TG=90
HDL=28

F-max=3.5
A-max=5.7

子どものころは一斗缶の蜂蜜をよくなめたり、ご飯に砂糖をかけてよく食べていたそうです。揚げ物も大好きで、鶏のから揚げや天ぷらを好んで食べていました。ケーキやおまんじゅう、アイスやチョコレート、水飴も大好き。とくに飴玉は1日に10個以上、20年以上にわたってなめ続けていました。タバコは1日40本以上、ビールも1日1000ml以上。

68歳のときに心筋梗塞を発症。最近になって、糖尿病と高血圧に。2008年7月、胸部に圧迫感を生じ、心筋梗塞の再発を疑い来院。右鎖骨下動脈プラークはS-max=3.6mmと、かなり高い値を示しました。その原因は、間違いなく糖分にあります。

飴玉は10個で約340kcalあります。砂糖を溶かして練って固めたお菓子ですから。毎日10個ということは、毎日ロースのステーキを100~150g、20年間にわたって食べ続けていたことになります。

問診時、よくよく聞いてみると、あれほど糖分がいけません、と注意していたのに、5カ月前から、1日20個以上も飴玉をなめていたそうです。1日約700kcalを飴玉だけでとっていたことになります。本人は飴玉1個が何kcalかまったく知らなかったので、食品成分表の本を買って読んでいただくようにアドバイスしました。

LDL=99、TG=90、BMI=23・4と正常で、HDL=28は低いです。HDL

が低いのは「結果」かもしれません。ＨＤＬを上げるのは難しいのです。でも、原因と考えられる食習慣を変えるのは簡単です。血液サラサラ薬だけに頼っていては、血管プラーク病を再発しかねません。これからは、薬任せにしないで、食の自己管理もしていただきたいとアドバイスしました。

**ケース5**

63歳　女性　高血圧なし、糖尿病
30年間、コーヒーに砂糖を入れて
毎日４～５杯。

S-max=2.8
C-max=1.2
**レベル 3**

食と病歴アンケート
72点
**危険度 1**

BMI=23.7
LDL=149
TG=53
HDL=84

F-max=2.2
A-max=2.3

コーヒーに砂糖を入れて毎日４～５杯、30年間ずっと飲んでいた方です。その他、ピーナッツは好物ですが、和菓子や洋菓子はあまり食べないとのことです。肉料理もあまり好きではなく、外食でも揚げ物や肉類はほとんど食べません。野菜、魚は大好きです。

S-max＝2.8㎜の主な原因は、コーヒーの砂糖以外には考えられません。一方のC-max＝1.2㎜は52歳レベルで、年齢的にいえば若いほうです。C-maxが低くてS-maxが高い場合は、まず糖分のとりすぎを考えます。

TG＝53、HDL＝84、BMI＝23・7と正常ですが、LDLは149とやや高い値となりました。糖分過多だと若い世代ではLDLが高くなる傾向がありますが、60歳以上には当てはまりません。食事と関係なくLDLは高値または低値を示し、食事のパターンではLDL高値の原因はつかめません。不思議ですが、別個の因子なのでしょう。

現在も糖分を控えた食生活を続けています。この方はコレステロールの低下薬で副作用が見られ、食習慣の変更だけで、LDLはなかなか下がらなかったのですが、1年3カ月でS-maxが2.8㎜から2.7㎜へ低下。C-maxも1.2㎜から1.1㎜へ低下しました。

**ケース6**

79歳　男性　高血圧なし、糖尿病なし
水飴製造会社を定年退職して19年目。

S-max=3.6
C-max=2.7
**レベル 4**

食と病歴アンケート
204点
**危険度 2**

BMI=20.9
LDL=57
TG=45
HDL=58

F-max=3.8
A-max=4.9

30年間、水飴製造会社で水飴と砂糖の製品管理係を担当されていた方です。仕事柄、毎日3回、砂糖と水飴を味見。他ににんにく入り蜂蜜を5年間なめ続けていました。

食事の中心は魚や野菜で、肉は若いときから好きではないとのこと。タバコは1日20本程度。アルコールはほとんど飲みません。糖尿病や高血圧もなく、兄弟や両親にも脳や心血管系の既往症はありません。

プラークの原因は、職業病といっていい糖分過多にあると考えられます。また血管プラークも高レベルですが、血小板が少ないために、今まで脳梗塞などを発症していないのでしょう。LDL=57、TG=45、HDL=58、BMI=20・9等、採血や肥満検査では問題ありません。この方も現在のメタボリック健診ではリスク回避は不可能です。

現在は、トコロテンを冬でも毎日食べることを勧め、糖分は食物混在分を摂取しているだけです。

**ケース7**

女性　55歳　高血圧なし、糖尿病なし

甘いもの、とくに飴やキャラメルが大好き。

S-max=3.2
C-max=1.2
**レベル 3**

食と病歴アンケート
237点
**危険度 2**

BMI=21.0
LDL=185
TG=131
HDL=76

F-max=未
A-max=1.0

とにかく甘いものが大好き。30年間、毎日ケーキまたはまんじゅうを1個は食べていました。他にも10時と3時のおやつにはお茶とお菓子（飴またはキャラメル）をほぼ毎日10個以上食べ続けていました。

女性の80代の平均S-maxは2・25㎜です。この方は55歳という年齢の割にS-max

が3.2㎜もありました。つまりこの方の血管プラーク年齢は125歳くらいになるでしょう。

40～59歳の食の好みとLDLの関係を見たところ、甘いものが大好きな人はLDLが高い傾向にありました。この方のLDL＝185の原因は、甘いものの限度を超えた多量摂取ということがいえます。この方のお父さんは、80代の後半で認知症になり苦労したとのことです。このままでは、本人も認知症になっていたでしょう。

治療は簡単です。甘いものを極力控え、コレステロール低下薬を服用していただきました。

「犯人は飴やキャラメルですね」

とは本人の反省の弁でした。

## スナック菓子が主食

ケース8

59歳　女性　高血圧なし、糖尿病なし

若いころはスナック菓子類が常食。

S-max=2.3
C-max=1.2
**レベル 2**

食と病歴アンケート
312点
**危険度 3**

BMI=15.2
LDL=80
TG=52
HDL=76

F-max=未
A-max=1.7

現在の食習慣はいたって健康的。食と病歴アンケートでも102点。やせ形で、一見何の問題もなさそうでした。

しばらく話をしていると、同伴してきたご主人がぽつりと、

「プラークは昔のことも関係あるんですか？」

と尋ねられました。

「考古学と同じで、どんなに昔のことでも、関係があります」

とお答えすると、今度はご本人からびっくりするような話を聞くことができま

した。

実はこの患者さんは、ご主人と結婚するまで（15〜25歳）の10年間、ご飯粒を食べたことがなかったそうです。

「15〜25歳までの主食はエビせんべい、ポテトチップス、キャラメルのかかったスナック菓子など。ちゃんとした食事は1日1回。でもご飯粒は食べなかった。お茶代わりに、生のオレンジジュースはよく飲んでいました。それと豚骨ラーメンが好きで週に3回は食べていました。野菜は極端に少なかったですね」

とのことでした。このときの食と病歴アンケートをとり直すと312点、危険度3でした。ただし結婚後はご主人の食習慣に合わせて、毎日青魚料理の和食中心となり、肉もたまに食べる程度だそうです。

明らかにS-maxが高い方ですが、現在の検査では原因がわかりません。過去の食習慣の話を伺い、ようやくその謎が解明できたのです。この方のケースでは、若いころのジュースの糖分と菓子類の脂質&糖分が関与しているのでしょう。

何十年前の食習慣でも、現在に影響するという証明です。ご本人の自覚が大切でしょう。現在は和食中心の食事をしている方でも、過去の過ちは消えてはいません。

ちなみにＬＤＬ＝80、ＴＧ＝52、ＨＤＬ＝76と他の血液検査の内容は問題ありませんが、ＢＭＩ＝15・2はやせすぎです。

食と病歴アンケートが、健診以上の価値があることの証明となった症例でした。

## 揚げ物大好き

**ケース9**

73歳　男性　高血圧症、糖尿病なし

揚げ物大好きだが、運動していた。

S-max=2.5
C-max=2.7
**レベル 4**

食と病歴アンケート
357点
**危険度 3**

BMI=25.2
LDL=103
TG=249
HDL=19

F-max=1.4
A-max=3.2

肉、フライドポテト、ポテトチップス、天ぷら、揚げ物など、脂っこいものが大好き。とくにピーナッツ、鶏のから揚げ、鶏皮、ハンバーグなどは大好物。甘いものも好きで、大福、まんじゅうをよく食べていました。しかし30年以上にわたって、健康のため朝から3㎞以上のウォーキングをしていたので、安心していたとのことです。

この方の場合、3㎞程度のウォーキングでは、1日に食べるカロリーをすべて消費するのは不可能です。フライドポテトやポテトチップス、ピーナッツなどは、意外とカロリーが高いのです。

「運動」よりも「食事」を心がけるべきだったのです。

## 卵大好き

ケース10

34歳　男性　高血圧なし、糖尿病なし

20年間、卵を毎朝3個食べていた。

S-max=2.8
C-max=1.3
レベル 3

食と病歴アンケート
未実施

BMI=23.9
LDL=264
TG=235
HDL=11

F-max=未
A-max=未

酒も飲まない、タバコも吸わない。肉料理は月に2回くらい。甘いものは好き。野菜や魚は普通に食べる程度。ただしこの方の家庭は、子どものときから20年以上、朝食に卵3個の目玉焼きがおかずとして欠かさず出ていたそうです。

34歳という若さでS-max=2.8㎜、C-max=1.3㎜でリスクレベルは3。これは尋常ではありません！

「卵1日3個は多すぎますよね」と言うと、「そうですか？」との返答でした。

他のケースとも比較分析した結果、卵は1日1個までなら、プラークの堆積とは関係なさそうです。まさに子どものときからの食習慣は恐るべし！　といったところでしょうか。

## 生きている間においしいものを？

「生きている間においしいものを食べたい」

気持ちはわからないでもありませんが、これはどこか変です。

「会社が倒産する前に贅沢しておこう」

というのと同じではないでしょうか。いずれも第三者的な発想です。目先のことしか考えず、行き当たりばったりに食べて、生きて、突然発症、長い寝たきり、そして死亡。長く続く後悔のパターンになりかねません。

「元気に生きる」ことと「倒産しない」ことは同じなのです。元気に歩くことができて死なないで済むものなら、おいしいものも好物も、我慢しなければなりません。

会社の倒産、家計の破産は、数字で予測することができます。しかし人体の倒産（脳梗塞、心筋梗塞）は、これまでは数字では見えませんでした。今回の血管プラークの研究で、初めて数字と映像で理解できるようになったのです。

もちろんその数字に余裕のある方は、おいしいものをたくさん食べてもかまいません。でもプラークがたくさん溜まっている人は、従来のおいしいもの（多くはプラークが溜まりやすい）をできるだけ我慢すべきです。それに、血管プラークで判断したリスクレベル3〜4の方は、もうすでに**一生分のおいしいものを食べているはず**です。

自分の血管内にうずたかく積もった血管プラークを、実際にその目で見たとたん、これまでおいしいと思っていたものが食べたくなくなり、**プラークが溜まらない食品が不思議とおいしく感じられる**はずです。脳でいったん自覚されると、食の好みが変わるからです。これは人の自己防衛本能だと思います。

血管プラークをその目で見たら、それほど無理することなく食習慣は変えられます。

## 「年をとったら好みが変わった」も自己防衛本能!?

「年をとったら好みが変わって、最近は肉が食べられなくなった」とよく聞きます。これは血管にプラークが溜まることで、何かが脳に指令を出して、食の好みを変えているに違いありません。

脳動脈の内側に脂肪が溜まると、酸素の供給が低下します。その原因がプラークであり、もともとは動物性の脂肪成分が大きな要素であることは、意識はしなくても本人の身体が認識しているようなのです。

将来は認知症が驚くほど増加するという予測があります。仮説ですが、血管性認知症の前々段階で、血管プラークが原因となって食の好みが変化すると考えられなくもないのです。例えば脳のブドウ糖消費量の低下や脳の血流量の低下、血管内皮障害などの変化も考えられます。

実際に20歳から30歳まで、豚足を毎日1本食べ続けた57歳の人は、その後に食の好みが変わり、現在は専門家に指摘されるまでもなく、また栄養学を勉強したわけでもなく、**本能的に魚と野菜中心の食生活**にされていました。

なぜ食の好みが変化したのか質問しても、自分でもよくわからないとのことです。ちなみに、血管にはプラークが厚く溜まり、激しく石灰化していました。

人類が地球上で一番栄えている理由のひとつが、食の多様性であると思います。食は本来、命をつなぐための本能的な行為です。必要に迫られて食の多様性を選択した**DNAが、身の危険を感じて食の多様性を制限**してもなんら不思議ではないでしょう。

日本人のＤＮＡが想定していない食習慣の変化が、この30年で急速に起こっています。地球の温暖化以上のスピードなのです。

# 第4章

# 血管プラークがみるみる減っていく！

## 食習慣の改善と薬の服用で治療

私は2年前まで「動脈硬化は20歳ころから年齢を重ねるほどに進行し、宿命みたいなもの」として理解していました。しかし、今回の食習慣の分析と血管プラークの観察の結果から、動脈硬化は食事で進行し、食事で改善するのであって、決して年齢と比例して進行する訳ではないことが明らかになりました。

研究開始から1年間は、患者さんに「どうしたらプラークが治りますか?」とよく質問され、その答えに困っていました。しかし、論文の結果を信じ、薬によるLDL低下に甘えることなく食事を改善させ、散歩以外の運動はあまりしないように指導したところ、多くのプラーク改善例が認められるようになったのです。その中の一部の方の例をご紹介します。皆さんが快く本への掲載を承諾されました。

# 動脈硬化が改善され血管が若返った！

**ケース1**

72歳　男性　高血圧なし、糖尿病なし
発作以前に、エコー検査で治療と指導を開始。
一過性脳虚血発作を発症後は後遺症もなく、身体も軽くなった。

ピーナッツが大好物で、肉類や甘いものも人並みに好き。油炒め料理は週に1～2回程度。その他、定年までの約30年間は砂糖入りコーヒーを1日2杯、豚骨ラーメンは、食べればスープの半分は飲んでいたという患者さんです。2年前、同様の食習慣をなさっていた奥様が狭心症になり、心臓ステント治療を受けました。母親は脳梗塞で倒れたことがあり、現在も治療中です。

ただご本人はLDLも80前後と低く、BMI＝24・0と大した肥満ではないの

**動脈硬化が改善され血管が若返ったケース**

血管エコーによる右鎖骨下動脈縦断面でのS-maxを測定

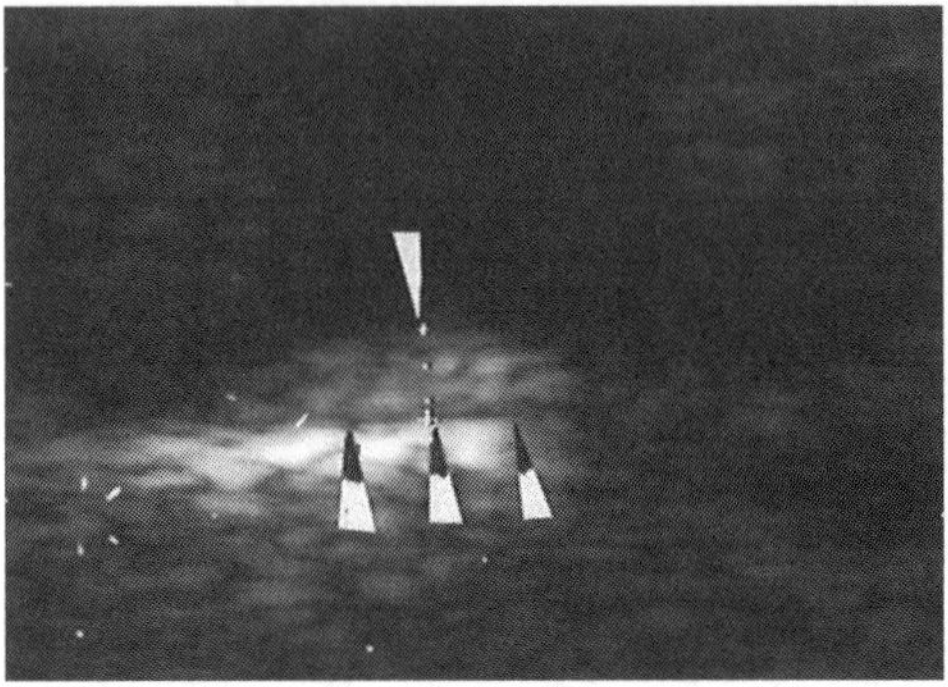

2007年10月　S-max=2.1mm

2008年7月　S-max=1.6mm

で安心していました。

2007年10月に当院に来院され、エコー検査を実施。初回受診時、S-max＝2.1mm、C-max＝2.8mm（頸動脈の狭窄率47・2％）、リスクレベル4という危険領域でした。この結果を受け、薬の服用を開始しました。

2008年1月のある夜、突然に酔っぱらったような状態になり、救急病院へ入院しました。ただし意識がなくなることはなかったそうです。2週間後に脳外科の病院に転院。一過性脳虚血発作と診断され、服用薬をより強いものに変更されました。

この時点で、この患者さんに対して大好きなバターピーナッツはやめるように勧めました。またコーヒーもブラックのみ、油炒め料理を減らして魚料理と野菜中心に、どうしても肉が食べたいときは赤身だけにするように、そしてカロリーは〝白いご飯〟でとるように指導しました。

2008年7月に再度、エコー検査を実施しました。その結果は、

S-max＝1.6㎜、C-max＝2.2㎜、リスクレベル＝3
頸動脈、右鎖骨下動脈のプラークともに、明らかな低下が認められたのです。ご本人も身体が軽くなったそうです。動脈硬化が改善され、まさに血管が若返ったのです！

S-maxの値では危険とは見えませんでしたが、C-max＝2.8㎜という評価は正しかったのでしょう。最初に薬の服用をはじめなければ、発症後も意識障害や後遺症が出ていたものと思われます。

この患者さんはご飯中心の食生活に切り替えることによって、プラークが顕著に低くなったという好例です。適切に治療と食習慣の改善を行えば、リスクレベルも低下し、脳梗塞が減らせることの証明といえるでしょう。

ちなみにバターピーナッツのカロリーは意外と高く（100gで663kcal）、小さな袋に75gほど入っているので、1袋で497kcalとなります。肉はあまり食べていないということでしたが、バターピーナッツ1袋で、ロースステーキ150gを食べたのと同じことになります。これを毎日食べていたのです。若者が食べすぎるとニキビになりますが、若くない人が食べすぎるとプラークになります。気をつけてください。

BMIや、LDLやTGなどばかりで健診していると、このような特殊な方は救えません。しかし、特殊な方が病気になるのです。そうであるなら、特殊な食習慣を見つけ出すのがプロの仕事でしょう。食卓の食べ物だけをカロリー計算してはダメです。サイドテーブルやポケットや膝の上の食べ物がプラークの真犯人かもしれないのですから。

# 1年4カ月で劇的に改善！

**ケース2**

55歳　男性　高血圧なし、糖尿病なし
健診では問題なかったが、プラークは危険域。
食習慣と薬の服用により、1年4カ月で劇的に改善。

数週間前、お父上が心筋梗塞で突然他界された方です。ご本人は元から肉が大好きで、とくに脂身、バラ肉、霜降り、カルビ、鴨肉の皮に目がなく、外食も多い方でした。豚骨ラーメンは週に2回、スープは全部飲んでいました。焼き肉やハンバーグ、ハンバーガーはそれぞれ週に1回食べていました。

野菜と魚は普通で、甘いものはあまり好物ではなく、お酒は飲めない体質で、タバコも吸いません。しかも運動は毎日欠かさず、早朝に遠くまで山歩きもしていました。糖尿病や高血圧の傾向もなし。糖分や肉も食べていいと思っていました。健診でもまったく異常はなかったそうです。

２００７年６月にエコー検査を行いました。

Ｓ-ｍａｘ＝2.6㎜、Ｃ-ｍａｘ＝3.1㎜（頸動脈の狭窄率50％）、リスクレベル＝４

運動が好きで健診にも引っかかったことがないので安心していました。しかし診断の結果、頸動脈のプラークがあまりにも高いので、汗を流すような運動は控えるようにいいました。そして食習慣の改善と抗血小板薬、コレステロール低下薬を処方しました。

２００８年10月に再度エコー検査を実施。

Ｓ-ｍａｘ＝2.4㎜、Ｃ-ｍａｘ＝2.6㎜

Ｃ-ｍａｘが顕著に低下し、Ｓ-ｍａｘもやや低下しました。

## 辛抱強く食習慣の改善に取り組んだケース

頸動脈縦断面でのC-maxを測定

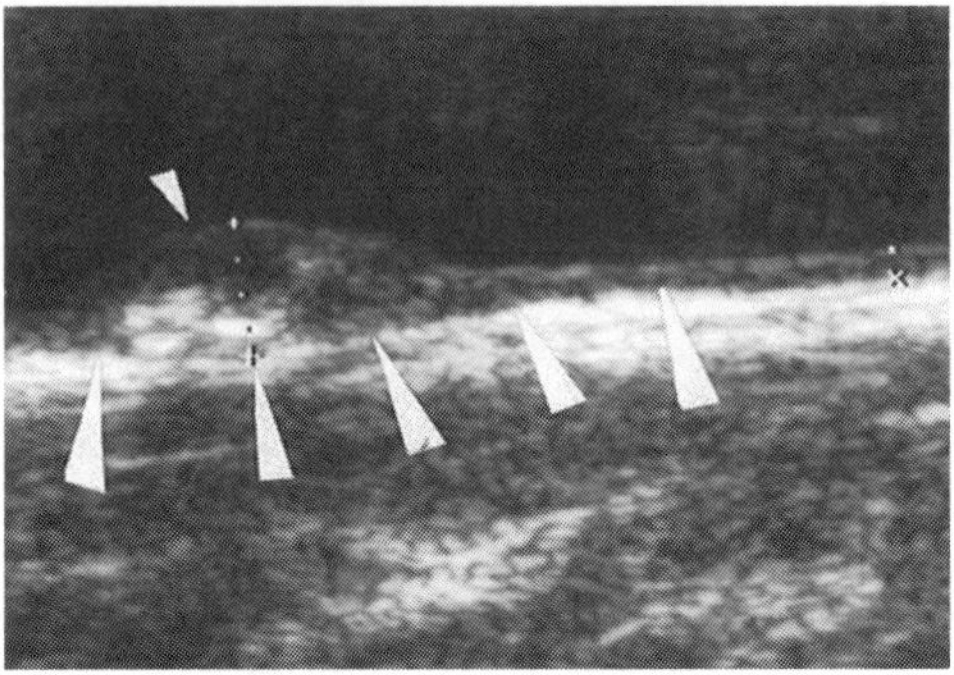

2007年6月　C-max=3.1mm

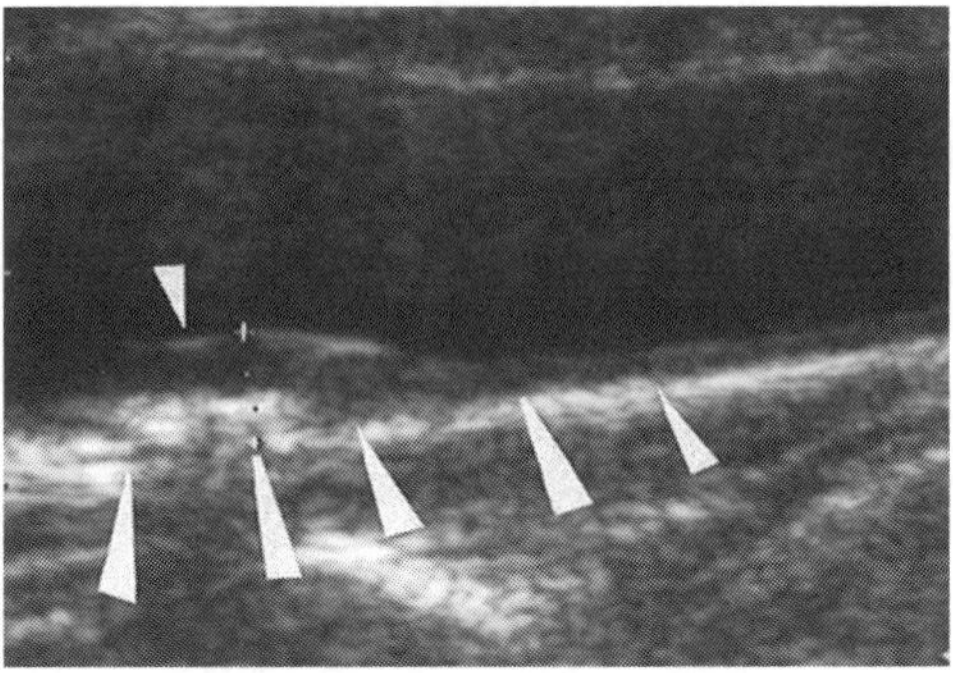

2008年10月　C-max=2.6mm

プラークの高さは、治療後半年程度では、なかなか変化が見えにくいものです。しかし1年を過ぎたころから、急に低下する例が多いのも事実です。プラークは子ども時代から現在にいたるまで、長年にわたって溜まり続けてきたものです。辛抱強く食習慣の改善あるいは薬との併用を続ける必要があります。

**脳梗塞や心筋梗塞になった後の方**も、継続して努力されると、脳梗塞や心筋梗塞を再発しないはずです。

なぜなら、観察した動脈の1カ所でプラークが減っていくということは、脳や心臓の動脈でも同様にプラークが減っていき、血管が広くなる訳ですから。

決して病院から出されている薬だけで安心してはいけません。

**血液サラサラ薬を飲んでいても、ＬＤＬなどの採血の数値が改善しても、食習慣の変更は引き続き必要なのです。**

その訳は、この本を最後までお読みになれば納得していただけることでしょう。

## 食習慣を改めてプラークを減らし、血管の内径を広げることに成功！

**ケース3**

56歳　男性　高血圧なし、糖尿病なし

胸部圧迫感の原因はプラークだった。

肉食中心を改めて肥厚改善、ダイエットにも成功。

脂肪肝のフォロー中に狭心症が出現した患者さんです。

1年ほど前から2～3カ月に1度、4～5分程度の軽い胸部圧迫感を感じるようになり、最近は月に1度という頻度となっていました。

食習慣を聞くと、この15年間は、ホルモンや牛タンが好きで週に1度は食べていたそうです。豚骨ラーメンも週に1度、鶏のモモ肉やハムも好きでよく食べていました。甘いものはあまり好きではなく、野菜は好きで魚は大好き。年に1度はクジラのベーコンをたくさん食べていた。鴨の皮の脂身もよく食べるとのことでした。

2007年4月に肝機能検査と並行して、頸動脈と右鎖骨下動脈の血管エコー検査を実施しました。

S-max＝1.2㎜、C-max＝1.9㎜、リスクレベル＝2、LDL＝170

血管プラークは危険レベルというほどではありませんが、念のため心臓の検査を勧めました。でも患者さんから同意を得られませんでした。

そこでプラーク高の原因は動物性の脂肪とLDL高値と判断し、食事療法と薬物療法の両方を選択しました。

食事療法としては、

（1）肉やフライ系の食べ物を極力控え、魚と野菜中心の食生活にし、野菜や野菜ジュースを勧めました。またトコロテンやモズクなどの海藻類（海の野菜）を多く摂取していただくように指導しました。
（2）砂糖を使う料理や食品添加物（砂糖、水飴）、何気なく口にする飴などにも注意するように指導しました。「節電の〝こまめにプラグを抜く作業〟と同じことをしないと、成果（プラークの減少）は出ませんよ」と説明しました。
例えば、バラ肉が料理に混じっていたら、その肉を食べない、もしくは脂身だけハシで分けて残す、といった方法です。

食べ物が少ない昔は残さないことが美徳でしたし、私もそう教育されました。しかし、血管内にプラークが溜まり出した人は、そんなもの（脂身）は堂々と残すべきです。

また薬物療法としては、ＬＤＬがかなり高く、症状もあるので、コレステロール低下薬と血液サラサラ及び血管痙攣抑制作用もあるＥＰＡ製剤の服用を開始しました。

8カ月後の再検査では、
S-max＝1.2㎜、C-max＝1.6㎜、リスクレベル＝1
という結果でした。本人も胸の圧迫症状はほとんど消失し、あっても以前の1／5程度の圧迫感となり、持続時間も1分以内で治まるようになったとのことです。

15カ月後の2008年7月、さらにエコー検査を実施しました。
S-max＝1.2㎜、C-max＝1.5㎜、リスクレベル＝1
なんと頸動脈のプラークの高さは、1年3カ月で0.4㎜も低くなりました。
胸の圧迫症状は完全に消失しました。また食習慣を変更したことにより、体重も5㎏減少したそうです。LDLの値も80前後で安定しています。

狭心症の治療には対症療法として、一般的には血管拡張剤の舌下錠や内服薬の服用やテープを胸に張ります。しかしいずれも現状に対するリスク管理という方法です。

本来ならリスクの原因を明らかにして、リスク軽減を積極的に行うことこそ、

**血管の内径を広げることに成功！**

頸動脈横断面でのC-maxを測定

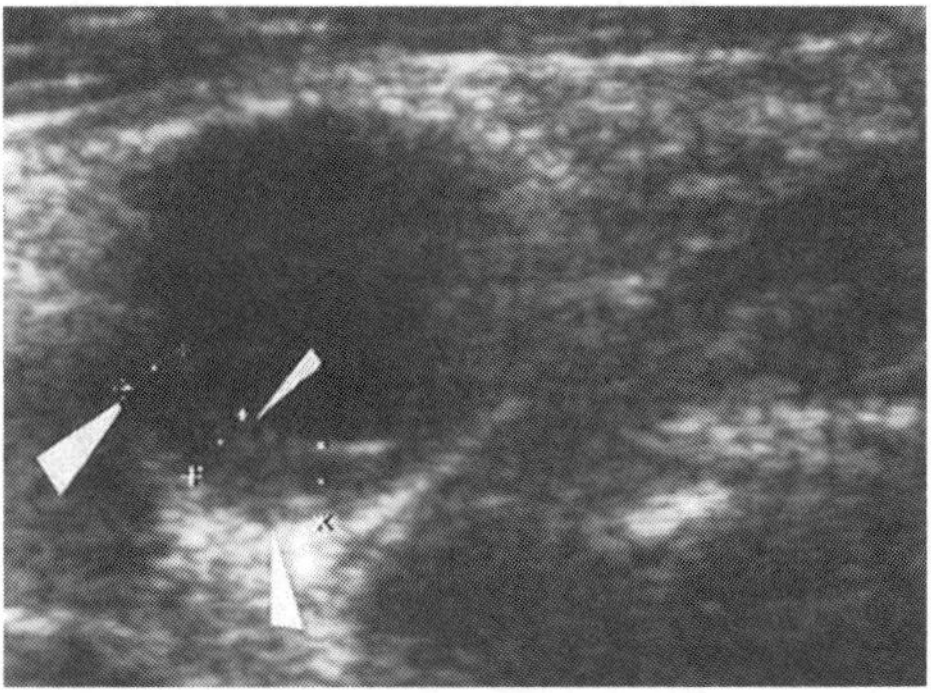

2007年4月　C-max=1.9mm

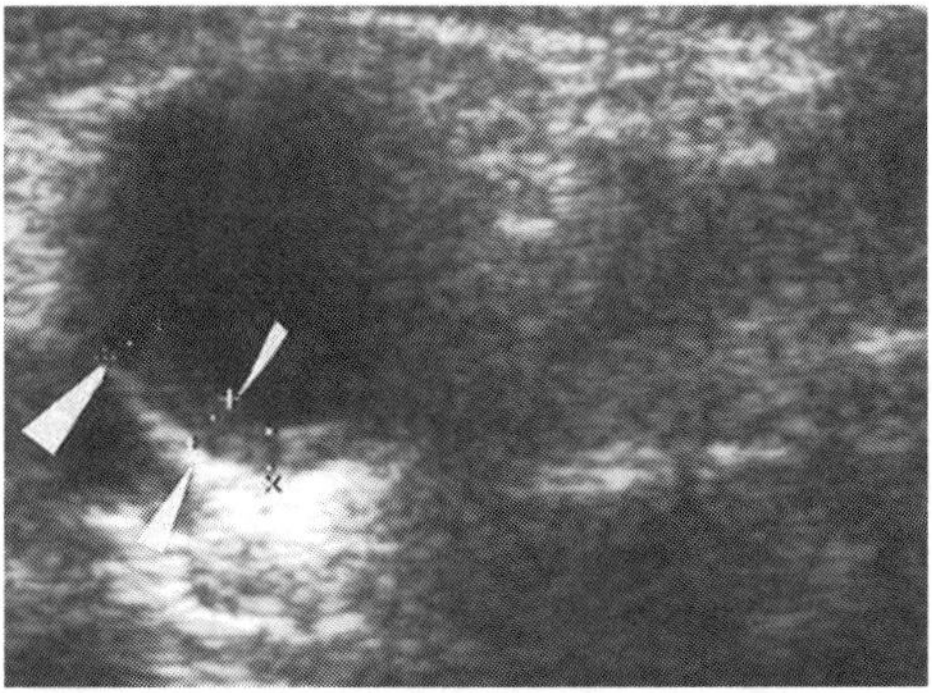

2008年7月　C-max=1.5mm

本人にとっても社会的にもとても有益なことだと思います。

薬物を用いて血液をサラサラにしつつ、タバコやアルコールなどを含めた食習慣を徹底的に改め、必要なら薬でＬＤＬを下げる。すると血管プラークの高さが低くなり、血管の内径が広がる、この方法こそ根本的な治療でしょう。

現在は心臓の冠動脈の狭窄が軽度で狭窄が進行中なら、ステントやバルーンで物理的に拡張させる、という考え方が多いようです。

血管プラークを低くして、狭窄の程度を軽くする指導を行う施設はまだ多くありません。しかし狭窄の進行を待つ必要はないのです。

頸動脈のプラーク肥厚が低くなるという現実は、全身の動脈で生じている現象と理解できます。右鎖骨下動脈と頸動脈は「鏡」ですから、治療と指導によりすべての血管の狭窄も改善すると期待できます。

食習慣の完全な変更（プラス薬物療法）が血管性認知症や、脳梗塞後の寝たきり人生という運命を変え得る力になることを認識していただきたいのです。今からでも決して遅くありません。

# 第5章

# 血管プラーク病にならない食事

## 食と病歴アンケートに答えて、自分の血管の状態を知ろう

まず、本書200ページの食と病歴アンケートに答えてみてください。あくまでも、物心ついてからの今までの食習慣について答えてください。この数年の食歴ではありません。

このアンケートの結果が、あなた自身の過去からの血管プラークの収支決算表です。そしてその結果を、真剣に受け止めてください。命の資産を明らかにして初めて、これからの身体の経営方針は決まるのですから。

**あなたの合計点（　　　　　　点）**

**危険度　　　　（　　　　　　）**

食と病歴アンケート結果判定

| | |
|---|---|
| 危険度0 | 69点以下<br>安全 |
| 危険度1 | 70点以上129点以下<br>食習慣を改善しましょう |
| 危険度2 | 130点以上299点以下<br>危ない！　ただちに食習慣を改善し、心配なら受診を |
| 危険度3 | 300点以上<br>危険！　すぐに検査を |

# 血管プラークが溜まる食習慣をやめる

エコー診断を受け、自分の血管プラークを低くしようとしている人の努力は、見ていて涙ぐましいものがあります。でも悲しいかな、努力ほどには効果は上がりません。運動をする、豆、玄米、バナナを食べたり、黒酢を飲んだり。○○がいいと聞けばいろいろなサプリメントを試す、あるいはカロリー計算をして献立をそのつど変えるなど。これまでの食習慣を変えないで、次々と新しいことを試しても、効果は上がりません。

競争に勝つ必要はありません。必要なのは負けない努力をすることです。つまり身体にいい食材を取り入れようとするのではなく、これまでの間違った食習慣を改めることが大切なのです。

「健康にいいことをするのではなく、**健康によくないことをしないこと！**」

これにつきます。そのうえで健康にいいことを、少しだけ心がければいいのです。これは私の勝手な思い込みではありません。血管プラークを正確に定量判断できる方法を見つけ、仮説を立ててアンケート調査をした結果、明らかに健康に悪いことをしなかった人たちの血管プラークが低かったのです！（この章の最後に紹介しています）

## 血管プラークを減らす食習慣とは

アンケートで意外な結果が出ました。当初血管プラークが一番低い人は、肉嫌い、甘いもの嫌い、魚大好き、野菜大好きなグループかと思ったのですが、結果は違っていました。一番よかったのは、「大好きなのは何もなく、**普通になんでも食べるが、肉は少し少なめ**」というグループでした（62ページ参照）。やはりバランスが大事というのは本当でした。しかし、すでにプラークが溜まってしまった人は、**野菜や魚介類、海藻類を多めに**とりましょう。

魚介類はなんでもいいと思います。海藻を魚介類が食べて、それを人が食べる。魚介類や、フコイダンなどを含む昆布などの海藻を食べると、多くのミネラルやビタミン、健康にいい成分を食べることにもなります。

魚なら丸ごと食べましょう。新鮮な魚は内臓まで食べられます。小魚なら、目玉、ヒレ、軟骨まで食べることになりますのでお勧めです。ただし、小魚に醤油や砂糖、水飴などを混ぜた食品は少なめにしましょう。「こまめに節電」ならぬ「こまめに節糖」「こまめに節脂」なんです。

科学的根拠としては、私の論文の中で**野菜を好んで食べていた人は、明らかにプラークが低かった**のです。その差は、高血圧があるかないかよりも大きな差でした。魚好きの人も明らかに血管プラークが低かったのです(論文提出後の研究)。逆に、肉類や甘いものを好んで食べていた人は、明らかに右鎖骨下動脈にプラークが厚く溜まっていました。

注：魚介類、海藻類の生食は、肝硬変や食道静脈瘤がある方は危険です。ビブリオ感染症にかかり、致命的になる場合があります。肝臓病の方は肝臓専門医にお尋ねください。

# 食事による治療法（血管プラーク病の人）

まずは、過去の食習慣を洗い出し、プラークの原因が肉類の過剰摂取なら肉類を、糖分なら糖分を、揚げ物なら揚げ物を、具体的に項目をあげて反省し制限することです。

次に基本的に肉類は避け、糖分も控え、できるだけ魚介類から動物性のタンパク質を摂取し、植物性のタンパク質は白米から、野菜や海藻からマグネシウムやカルシウムなどのミネラルやビタミン類を、その他の成分を豆類、ソバ、ゴマ、味噌などの伝統的な日本の食材から摂取します。

白米は玄米でも、雑穀を混ぜてもいいし、麦ご飯でもいいでしょう。いずれにしてもご飯ならばバターやマーガリン、ジャムも必要ないですから。

野菜にはビタミンB類や葉酸が多く含まれていますので、動脈硬化予防によいとされています。葉酸は芽キャベツ、ブロッコリー、空豆、タカノツメ、オクラなどに多く含まれています。無塩、無糖、無農薬の野菜ジュースや青汁でもいいでしょう。

菓子類を食べるなら、**和菓子のほうが洋菓子より脂質及び飽和脂肪酸が少ない**のでお勧めです。

イワシやサンマの脂は**常温で固まらない不飽和脂肪酸ですので、血管にもやさしい**のです。多く摂取してもかまいません。ただし、マグロの大トロの白い部分は常温で白く固まっていますね。食べすぎないようにしましょう。青魚はとくによく、イワシ、アジ、サンマなどの缶詰でもいいでしょう。

イワシの子のチリメンジャコには、脂質異常（高脂血）症薬として使用されている血液サラサラ効果のあるＥＰＡが多く含まれています。さらに、２００７年には「ＥＰＡ摂取は（動物実験ですが）、制がん薬として現在注目されているＶＥＧＦ阻害薬と同様の働きがある」（Nature Medicine 2007：13）との発表もありました。またチリメンジャコには骨、軟骨成分も含まれているので、これを食べたら骨年齢が20歳も若返ったという人もいます。骨年齢の若返りには**牛乳より**

も小魚が効果的という学者もいますので、チリメンジャコはお勧めです。

トコロテンは当院で発がん予防に勧めていますが、1パック（正味150〜200g程度）／日が目安。海藻類のとろとろ成分には多糖類のフコイダンが含まれていて、コレステロールやナトリウムを取り込んで排泄し、動脈硬化を改善させる働きがあります。国産のモズクやワカメ、メカブ、根昆布もいいでしょう。

独り住まいの男性で、血管プラーク病のあなたの食卓を考えました。簡単で自分のための健康的なお手軽メニューです。
・朝起きたらまず無農薬の野菜ジュースや青汁、豆乳を飲む
・サラダはミニトマト
・サイドメニューはトコロテンと豆腐にチリメンジャコをかける
・メインは青魚缶詰
・白米のご飯
包丁を使わないレシピです。

若者には男女を問わず「肉を食べないと元気が出ない」と言う方がおられます。本当にそうでしょうか？　ある**ボクシング世界チャンピオンは、減量中はキャベツを刻んで山ほど食べるとか。**

ＤＮＡが人間とあまり変わらないゴリラはリンゴやバナナが好物で、肉を食べているところを見たことなどありません。身体が大きいゾウもそうです。足の速いシマウマも草食動物です。長生きのカメも海藻（海の草）を食べます。

肉を食べなくても、元気は出ます！

## 「つまみ」は何を食べたらいいか

「糖分や脂肪分の含まれている食事は、たしかにたまにはとるけれど、量も少ないし問題ないはず」そう言われる方が、かなりの割合でいらっしゃいます。

たしかに〝たまに〟〝少し〟食べる程度でなら、血管プラークも平均的な高さのはずです。しかし、そこに落とし穴があります。ビールやお酒の「つまみ」です。

「つまみ」は、例えばポテトチップス1袋やバターピーナッツ1袋、ハムなどが代表選手です。また高温の植物油で調理したから揚げ、イカのフライなども、人気のあるつまみです。そしてこれらの食べ物や動物性脂肪を多く含む食べ物は、きわめて高いカロリーを含んでいるのです。

時々ならいいのですが、お酒のつまみとして毎日これらを摂取すると、確実に血管プラークの進行につながります。実際に私はそのような人たちを数多く診てきています。

私のお勧めのつまみは、季節野菜の空豆や枝豆、オクラ、キュウリやニンジン&味噌、カニ味かまぼこ、ゆでワカメ&ポン酢、**魚の缶詰、チリメンジャコ&大根おろし、豆腐にかつお節**などです。これらのつまみなら、毎日とってもかまいません。以上のつまみは、実は私の現在の好物でもあります。

これらの食物には、動脈硬化を改善させる多くの物質が含まれています。またがんを予防する成分もあるとされています。

つまみも揚げ物や動物性脂肪は避けること、魚介類や野菜、海藻類をとること、これが基本方針です。それと加工品の場合は、なるべく砂糖や水飴を使用していないことも大切です。

血管のプラークを肥厚させる食べ物と知った後は、その食べ物をおいしく感じなくなるはずです。それは自己防衛本能そのものだと思うのです。現在の食事があなたに危害を及ぼしているのか、いないのか⁉ その判断が一番できるのが血管プラークなのです。自分自身の血管プラークを知ることができれば、おのずと食習慣をコントロールすることができるはずです。

私は30年以上の長い間、肝臓がんの診断と治療という分野で患者さんと向き合ってきました。でも、今でもがんがいつ出現するのか予測するのは困難です。

今回、わずか1年半ですが、血管エコーを駆使して多くの方々の血管プラークを診てきました。がんに比べれば、血管プラーク病の予測がこんなに簡単だとは夢にも思いませんでした。

# 運動大好きは意外と危ない

運動を毎日やっている人は、この項目を待ってましたと期待されていると思います。一般にダイエットでは定番の治療方法ですから。しかし、私は血管プラークを測定しながら、患者さんたちの山登りやジョギングや散歩を毎日……というお話などの運動自慢をされる場合があるのですが、変なことに気づきました。むしろこういう努力をされている方に血管プラークが高く溜まっている人が多いのです。

さっそく、食事アンケートに運動の項目を追加して45歳以上の344人で検討しました。表を掲載していませんが、運動していた（している）人のS-maxの平均は2・30㎜であったのに対して、あまり運動をしなかった（していない）人のS-maxの平均は2・00㎜と、運動をあまりしていない人のプラークが統計学的にも明らかに低かったのです。なぜでしょうか？

そこで私は昔話の『ウサギとカメ』の競走を思い出しました。お山の頂上までの競走で勝ったのはどちらでしょう?

カメさんは足が遅いというハンディがあるのでコツコツと上ったのです。ウサギさんは足が速いという自信から油断して居眠りしたのでした。

運動不足というハンディを自覚されているカメさんたちは、日頃から食事に気をつけておられるのでしょう。もちろん自分の運動量でのカロリー消費を計算したうえで、食事に気をつけながら運動も行うのがベストなのです。

決して運動を過信なさらないように。レベル4の人には**汗をたくさんかくような運動はしないように**指導しています。水を飲みながら運動しても、一時的な脱水状態で脳梗塞や心筋梗塞などを発症する恐れもあるからです。

また、左のデータからも、運動よりも食事に気をつけることのほうが、長寿の秘訣のようです。

## 100歳以上の長寿者の長生きのための心がけ

健康体力づくり事業団（1993年）より報告

| | |
|---|---|
| 男性 | ◎1位：食事に気をつけていた ……………50.2% |
| | 2位：規則正しい生活をするように ……45.4% |
| | 3位：睡眠、休養を十分にとるように …42.0% |
| | 4位：物事にこだわらないように ………32.8% |
| | ※5位：適当な運動をするように …………32.8% |
| 女性 | ◎1位：食事に気をつけていた ……………38.3% |
| | 2位：物事にこだわらないように ………38.2% |
| | 3位：規則正しい生活をするように ……36.6% |
| | 4位：睡眠、休養を十分にとるように …31.5% |
| | ★5位：とくに心がけていなかった ………25.5% |
| | ※6位：適当な運動をするように …………20.0% |

◎一番心がけたことは男女共に「食事に気をつけていた」

★女性は、運動よりも「とくに心がけていなかった」のほうが上位です。

※女性は家事などで適度な運動ができているのかもしれません。

### コメント

上の表を見ていると、昔話の『ウサギとカメ』を思い出します。

1）カメ型思考

「自分はあまり運動をしていないほうだから、食事に大いに気をつけよう」

2）ウサギ型思考

「自分は昔から運動もして、健康には自信がある。おかげでなんでもおいしく食べられる。少しぐらいおいしいものを多く食べても平気さ !?」

さて、最終的に勝つのはどちらでしょう？

# 血管を健康に保っている人々

ここで、血管を健康に保っている人たちをご紹介しましょう。この方たちの食習慣を見習えば、血管プラーク病にならなくて済むことでしょう。

## 高年齢でも血管にプラークが溜まっていない人

**ケース1**

78歳　女性　高血圧症、糖尿病

血管プラーク年齢は20〜35歳！

S-max=0.8
C-max=1.0
**レベル 0**

食と病歴アンケート
257点
**危険度 2**

BMI=19.2
LDL=60
TG=109
HDL=60

F-max=1.2
A-max=1.4

血管プラークは20〜30代のレベルと優秀で、78年間もこの血管の中を生命に必要な中性脂肪などが流れ続けているなんて信じられません。

肉は好きなほうではなく、食べても量が少ない。甘いものも時々食べる程度。野菜は大好き。魚は普通という食習慣を続けてきました。牛乳は、1日1本（180ml）、卵は週に3個程度。エビの天ぷらは好きで、週に2回くらい。から揚げは食べない。果物は好き。主食は白いご飯。

とくに意識して健康にいいものと考えて食べていたわけでもなく、昔はどこの家庭でも見られた、和食中心の食事をされている方、という印象です。食のアンケート点数がやや高いのは、いろいろなものをバランスよく好きだが、量が少ないためでしょう。これは血管にプラークが溜まらない「キーワード」かもしれません。

ケース2

76歳　女性　高血圧症、糖尿病なし

血管プラーク年齢は35～38歳！

S-max=1.3
C-max=0.9
**レベル 0**

食と病歴アンケート
66点
**危険度 0**

BMI=23.6
LDL=73
TG=122
HDL=60

F-max=1.4
A-max=1.9

野菜と魚が好きで、肉はあまり食べない。揚げ物も好みではない。お菓子は時々食べるが量は少ない。肉類で好きなものは何もない。特別に何が好きということはない。1年前から高血圧の薬をのんでいる。外食は少ないという方です。

江戸時代の生き残りみたいな食習慣の方です。「命をつなぐだけの食べ物でこと足りています」と聞こえてきます。

**ケース3**
72歳　女性　高血圧症、糖尿病なし
血管プラーク年齢は25～35歳！

S-max=1.1
C-max=0.8
**レベル 0**

食と病歴アンケート
128点
**危険度1**

BMI=23.6
LDL=80
TG=124
HDL=84

F-max=1.0
A-max=0.9

魚が好きで、肉はたまに食べる程度。量は少ない。天ぷらは好きではないが、食べるときはころもをはずして食べる。鶏肉は食べるが、皮はあまり食べない。卵は毎日必ず1個を40年間続けている。朝はパン食で、マーガリンをつけるが、脂肪分半分の製品にしている。牛乳は低脂肪ではなく、普通の牛乳を40年間、大きめのコップ1杯飲んでいる。青魚はとくに好きで、週に3回以上食べている。

魚と野菜中心の食習慣で、昭和の時代の初期から中期の平均的な食習慣かもしれません。牛乳や卵は、普通に食べるのであれば動脈硬化（プラーク堆積）にそれほど悪影響はないのです。マーガリンは植物油を原料にしていても、加熱されているので飽和脂肪酸が多く含まれ、あまり好ましくはないといわれていますが、動物性の脂肪を肉類からはほとんど摂取していないためにプラークが溜まっていないのでしょう。しかも脂肪分が半分のマーガリンを選んで使っていたそうです。プラークが溜まっていないということは、その選択もまた、正解だったのです。

**ケース4**

74歳　男性　高血圧なし、糖尿病なし
食習慣は野菜と魚が中心。

S-max=1.3
C-max=1.2
**レベル 0**

食と病歴アンケート
10点
**危険度 0**

BMI=25.7
LDL=82
TG=75
HDL=77

F-max=1.0
A-max=1.3

定年まで昼食は会社の食堂。野菜と魚が大好き。肉や甘いものに好物はない。肉類、揚げ物の外食はほとんどしない。野菜サラダ、野菜ジュースは大好き。
血管年齢をプラークの高さで表現すると、S-max=33歳、C-max=49歳レベルです。この程度なら、脳梗塞や心筋梗塞、認知症などの病気とは縁遠いといえます。

## 太っていても安心な人たち（プラークが溜まっていない）

**ケース5**

70歳　女性　高血圧症、糖尿病
肥満

S-max=1.0
C-max=0.9
**レベル 0**

食と病歴アンケート
62点
**危険度 0**

BMI=28.8
LDL=89
TG=57
HDL=78

F-max=1.3
A-max=1.0

ＢＭＩ＝28・8は肥満1度の方で、高血圧と糖尿病の薬も服用中。
Ｓ-ｍａｘ＝1.0㎜、Ｃ-ｍａｘ＝0.9㎜は血管プラーク年齢の平均からすれば、20〜37歳の血管の持ち主です。

若いときから魚、野菜中心の食習慣。トマトが大好きで、おやつ代わりに食べていた（1日に中玉2〜3個）。脂っこいものが嫌い（肉の脂、から揚げ、天ぷら、ラーメンなど）とのこと。

肉を食べるときは、赤身だけをほんの少々。甘いものはあまり食べないが、シュークリームを2~3週間に1個程度食べる。牛乳はコップ2杯を毎日飲んでいる。卵は1週間に2個程度。カレーには肉を入れず、シーフードにしている。コーヒーはブラックで飲み、タバコは吸わない。ビールを1週間に2本（1本350ml）飲んでいる。父は92歳で老衰により他界。

食と病歴アンケート結果の62点は納得できます。過去の食習慣アンケートを行って、70年間も普通の食べ物を食べながら生きてきているのに、しかも軽度の糖尿病もあるのに、こうすれば血管プラークは溜まらない！　というヒントを得ました。血管プラークの有り様を明確に定量できる立場だからこそ理解できるのです。大腿動脈や大動脈にもプラークがほとんど溜まっていないこの方が、血管系の閉塞などで病気になることは今後20年以上あり得ないでしょう。

なぜ肥満になるのかわかりません！　炭水化物の肥満は「皮下脂肪型」で、これは血管にプラークが堆積しにくいのかもしれません。逆に、肉類や糖分、揚げ物などを多く摂取しながら肥満になっていない人は「血管プラーク型」かもしれません。食と病歴アンケートではそれを裏付けるような結果が出ています。「皮下脂肪型」「内臓脂肪型」以外に「血管脂肪型」がある、そう思える1例です。

**ケース6**
56歳　男性　高血圧なし、糖尿病
肥満、脂肪肝

S-max=1.5
C-max=1.0
**レベル 1**

食と病歴アンケート
65点
**危険度 0**

BMI=31.6
LDL=110
TG=381
HDL=60

F-max=1.3
A-max=1.3

牛肉、豚肉などはあまり食べないが、鶏皮、ホルモン、豚のベーコン、豚足は好きで、たまに食べる。ケーキやお菓子類の甘いもの、甘い料理などは好きではない。焼酎は毎日2～3杯飲み、ラーメンのスープは半分くらい飲む。から揚げや天ぷらなどの揚げ物は、あまり食べない。野菜も好きだが、魚が大好きという方です。

BMI＝31・6は肥満2度の方で、糖尿病の薬を服用中。

S-max＝1.5㎜、C-max＝1.0㎜は血管プラーク年齢の平均からすればS-max＝

**肥満とプラークの高さとの関係を調べました。**
（アンケート集計…45歳以上の431人について）

| BMI | | 人数 | S-max 平均±SD | C-max 平均±SD | レベル 平均±SD |
|---|---|---|---|---|---|
| 〜18.4 | 低体重 | 15 | 2.0±1.0 | 2.0±0.8 | 2.3±1.5 |
| 18.5〜24.9 | 普通 | 310 | 2.1±0.9 | 1.7±0.8 | 2.0±1.4 |
| 25.0〜 | 肥満 | 106 | 2.2±1.0 | 1.6±0.7 | 2.0±1.4 |

レベル：脳梗塞、心筋梗塞などのリスクレベル（レベル0〜4）
＊肥満度とS-max、C-max、リスクレベルはいずれも関連を認めなかった。

**コメント**
肥満している人が動脈硬化の病気になりやすいとはいえません。
したがって、動脈硬化判定に肥満度検査は有効ではありません。

43歳、C-max＝40歳といえます。肥満ですが、血管プラークの年齢は実年齢より若いのです。腹部大動脈のプラークも1.3mmと低いです。
中性脂肪はかなり高いのですが、食と病歴アンケートの点数は65点と低いのです。炭水化物性の肥満かもしれません。

## 悪玉コレステロール値（LDL）が高くてもプラークが低い人

**ケース7**

56歳　女性　高血圧なし、糖尿病なし

S-max=1.2
C-max=1.2
**レベル0**

食と病歴アンケート
132点
**危険度=2**

BMI=23.4
LDL=159
TG=131
HDL=64

F-max=1.1
A-max=1.1

ＬＤＬが高いのが特徴です。

甘いものはあまり食べない。シュークリームやチョコレートを食べる程度。肉は普通に食べるが食べる量は少ない。5年間ぐらいは焼き肉を週に1回ほど食べたことがあるが、その他の期間は1～2カ月に1回食べる程度。

コーヒーや紅茶には砂糖を入れない。

タバコは吸わない。アルコールもほとんど飲まないし、野菜や魚は好きで、よく食べていた。腹部エコーでは中等度の脂肪肝。母親は91歳で脳梗塞になる。

6カ所の血管にプラークが溜まっていないのですから、さし当たってのコレステロール低下薬は必要ないでしょう。まずカロリー制限や食習慣の変更を指導しました。

このようにLDLが140以上でも血管プラークが低い人がいます。

このような方が、実際にはどれくらいの割合でいらっしゃるかを調べました。従来の頸動脈エコーのみでの観察では、LDLが140以上の71例中の30例(42・3%)も頸動脈エコーでは問題ないと判断してしまいます。しかし、右鎖骨下動脈、腹部大動脈、大腿動脈をすべてエコーで観察すると、71例中8例(11・3%)のみが血管プラークが低い人たちでした。つまり、LDLが140以上の場合は、左右の頸動脈、右鎖骨下動脈、腹部大動脈、左右の大腿動脈のいずれかに88・7%の確率で血管プラークが高くなっていると考えられます。

LDLが140以上の人たちは、血管プラークが低くても、定期的に6カ所の血管エコーを行い、食習慣にも注意する必要があります。

# 医療関係者の方たちへ

**コメント1**

## ＬＤＬ（悪玉コレステロール）について

私の論文ではＬＤＬが１５０以上の人のS-maxの平均は２・54㎜で、ＬＤＬが90以下の人のS-maxの平均は１・98㎜でした。ＬＤＬが高い場合は明らかにプラークが高くなります。ただし、この関係はＬＤＬが１４０以上の場合（平均S-max＝２・44）だけに限られ、１４０未満の場合はプラークが高い人や低い人が普通に混在していて、ＬＤＬが低いからプラークが低いとはまったくいえません。

ですから、ＬＤＬが１４０以下だからと安心しては絶対にいけないのです。このことは、今までのケースの具体例でも明白なのです。

## コメント2

### TG（中性脂肪）について

私の論文ではTGが200以上の人のS-maxの平均は2・46㎜で、LDLが100以下の人のS-maxの平均は2・08㎜でした。TGが200以上と高い人は明らかにプラークが高くなります。

## コメント3

### HDL（善玉コレステロール）について

私の論文ではHDLが40以下の人のC-maxの平均は1・88㎜で、HDLが60以上の人のC-maxの平均は1・51㎜でした。HDLが40以下と低い人は明らかにプラークが高くなっていました。

## コメント4

### 高血圧について

私の論文では、高血圧のために薬を服用中の人のS-maxの平均は2・21㎜で、血圧が正常または薬を必要でない方のS-maxの平均は2・01㎜と差はわずかです。時間的経過を考えると、プラーク堆積が原因で高血圧（結果）になっていると考えられます。

## コメント5

### 糖尿病について

私の論文では、糖尿病（薬内服中）だからといって、血管内にプラークが高く堆積している結果は出ませんでした。

糖尿病の有無から脳梗塞予備軍などを拾い上げるのは、得策ではないと思われます。

私が診ている患者さん方は軽症例が多く、血管プラークが堆積する前に、食事指導がきちんとなされているためかもしれません。

## コメント6

## 血管プラークの基準

私の考えですが、6カ所の血管プラークの観察から得られる以下の4項目のいずれかでS-max＝1.8mm以上、C-max＝1.4mm以上、F-max＝1.8mm以上、A-max＝2.5mm以上の結果であればコレステロール低下薬の服用を考慮します。

実際は62％の人ではS-maxのほうがF-maxより血管プラークが高く、38％の人ではその逆でF-maxのほうが高いのですが、リスクキャッチの観点から双方の薬物治療を考慮する高さはともに1.8mmとしました。

4項目のmaxがすべてそれぞれの基準値未満の場合は、食習慣の指導のみで経過観察してもよろしいでしょう。

また、F-maxがS-maxよりも高い場合は、リスクレベルの判定（42ページの図）にはS-maxではなく、F-maxを採用すべきでしょう。

## コメント7

### A-maxに関して

腹部大動脈が臍《へそ》の高さで2本に分岐しますが、その直前にも血管プラークが溜まるので、その値もA-maxとして集計しています。

大動脈のプラークが3.0㎜以上溜まっている場合は、その厚さを0.8倍すると、右鎖骨下動脈や大腿動脈のプラークの厚さに近似することも判明しました。肥満者では大動脈のプラークの測定は困難な場合もありますが、大動脈瘤を早期に発見できますので、日常の診療で広く行われるべきでしょう。

# 第6章

# 血管プラークで説明するとすべてが解明される

# 約100万人が脳梗塞後のリハビリをしている！

脳が原因で卒然と倒れる病気、これが脳卒中です。脳卒中には大きく分けて、**脳の血管（動脈）が破れるくも膜下出血と脳内出血**があります。脳内の動脈が詰まる**脳梗塞も脳卒中のひとつ**です。

さらに脳梗塞には、脳血栓症と脳塞栓症という2つのタイプがあります。脳内の動脈のプラークなどで細くなった箇所が詰まるのが脳血栓。心臓などでできた血栓が、脳まで流れて脳の動脈が詰まる病気が脳塞栓。

突然身体がしびれる一過性の脳虚血発作は、脳血栓の前兆といえます。朝の低血圧や脱水症状などになったときに、脳の血管の一部が詰まり、一時的に血流が途絶えることで起こります。

このように幅の広い脳卒中ですが、なかでも脳梗塞はもっとも多い病気です。

脳卒中の内訳は6〜7割が脳梗塞、2〜3割が脳出血、1〜2割がくも膜下出血といわれています。最近の調査では、脳卒中患者の80％が脳梗塞という地域もあるそうです。

２００５年度の脳血管疾患（脳卒中など）の患者数は１５０万人（生存１３７万人、年間死亡13万人）といわれています。生存者の多くは脳梗塞の患者さんと考えられますから、今日本では、約１０５万人が脳梗塞を患っていると推定されます。

また２００６年は脳血管疾患で12万８２０３人が亡くなり、心疾患の17万２８７５人を合わせると30万１０７８人となり、日本人の死因の25％以上を占めています。

現在では**脳梗塞の８〜９割は命が助かる**そうですから、毎年相当数の人が脳梗塞後の病院への通院患者に加算される計算になります。これは由々しき事態です。

# 一過性脳虚血発作を正しく診断するのは血管プラーク

一般に脳梗塞の前兆症状として、
運動障害：ふらつく、めまいがする、だるい、手または足に力が入らない
感覚障害：**顔や手足の片方がしびれる**、言葉が出にくい、ろれつが回らない
視覚障害：**視野の見えない（見えにくい）場所がある**、物が2重に見える
などが見られます。これを一過性の脳虚血発作といいます。この発作が起こると、1～2年以内に脳梗塞になる確率がきわめて高くなります。実例をご紹介しましょう。
77歳の男性の方で、6年前に一過性の意識消失があり、血液検査等のために1週間ほど入院し、その後は元気に暮らしていたそうです。
それから1年ほど経ったとき、脳梗塞を発病。5年間も寝たきりの状態になっ

てしまいました。

最初の一過性の意識消失を、一過性の脳虚血発作と正しく診断するには、血管プラークの検査が必要でした。ＭＲＩでは簡単に診断できないのです。

一過性の脳虚血発作は、心筋梗塞の前兆症状としての労作性狭心症と同じ、と理解してもらってもいいでしょう。

ただし一過性脳虚血発作がなくて（あっても気づかなくて）脳梗塞になる場合がほとんどですので、６カ所の観察ポイントによる血管プラークの測定は40歳以上では男女を問わず、必須の検査といえます。

# 脳血管性認知症は脳の微小動脈にプラークが溜まって起きる

認知症とは、かつて痴呆症と呼ばれ、後天的な理由によって意識や記憶などの脳の活動が低下したり、障害が起きたりする病気の総称です。

認知症は大まかに脳血管性認知症が4割、アルツハイマー型認知症が4割、2割がその他の原因といわれています。

２００５年度の厚生労働省の調査では、認知症の患者数は次のように発表されています。

（1）血管性及び詳細不明の認知症は約14万5千人（男：4万6千人、女：9万9千人）。

（2）アルツハイマー型認知症は17万6千人。

認知症は死にいたる重大な病ではありませんが、失語症や徘徊等の異常行動、ときには暴力・暴言等を伴うことがあり、日常生活に支障をきたし、家族など介護者に対して大きな負担を強《し》いる病気です。高齢化社会の本格化などにより、今後認知症はその数を急速に増加させていくだろうとの予測もなされています。個人的な問題を超え、国家レベルでの早急な対応が求められる大きな問題なのです。

脳血管性認知症とは、脳の血管にプラークがまんべんなく溜まることで起きる病気です。とくに脳の微小動脈にプラークが溜まると、酸素や糖分、ミネラルなどが脳細胞に十分に供給されなくなり、その結果、脳細胞が死んだり、しなびたりして脳細胞の数が減り、脳の機能が低下します。

また脳動脈のあちこちにプラークが溜まると、正常な脳細胞が、プラークで機能不全に陥った脳の仕事を肩代わりすることができなくなり、一挙に認知症が進行する場合もあります。

まだ認知症になっていないから、などとのんきに構えている余裕はありません。もし脳の血管にプラークが溜まっていたら、早急に対処しなくてはいけません。

認知症は予防第一です。防げる病気は自分で防ぎましょう。

備考：アルツハイマー型認知症の原因は不明ですが、脳の血管を良好な状態に保つことは有益であると考えられます。野菜や果物のジュースを愛飲すると、発症が1／4に抑えられるという海外からの報告もあります。

## 初期の脳血管性認知症は治せる！

「急がば回れ」という言葉があります。脳細胞を復活させたいなら、まず**血管を広げる試みに挑戦する**ことが大切です。

「広げるとはどういうことか？　どうしたら血管を広げることなどできるのか？」

そう思われる方もいらっしゃるでしょう。ところが、血管を広げるのは実は思われているより簡単なのです。

私の考えでは、まだ梗塞にいたっていない状態では、今ある脳血管を広げるほうがベストです。

何も血管プラークの高さをゼロにする必要はまったくありません。血管プラークの高さを0・01㎜でも低くすればいいのです。

## 血管再生の具体的な方法とは？

私は1985年に肝臓の細径の生検針（Majima Needle）を開発しました。そして開発実験の過程で、注射針の内径が0.1㎜（針の両サイドで0・05㎜ずつ）細くなることで、液体の流れる量が極端に違ってくることを実感しました。細い血管も同様であると予想できます。

スタチン製剤を4年間継続して投与した結果、頸動脈のプラークが0.1㎜低下した、という報告があります。

脳血管性認知症の一因として動脈硬化も疑われるのであれば、血液をサラサラにするための治療と並行して、血管のプラークを低くすることが根本的な解決策ということができるでしょう。そして、その主役は食習慣の改善なのです。

## 危険性が高い
## カテーテルによる治療とバイパス手術

心筋梗塞は、虚血性心疾患のうちのひとつです。心臓冠動脈の血流量が下がり、心筋が虚血状態になり壊死してしまった状態をいいます。通常は急性に起こる「急性心筋梗塞（ＡＭＩ）」のことを指します。心筋梗塞も、脳梗塞と同様、死にいたる可能性の高い恐ろしい病気です。

心筋梗塞の原因は、**心臓の血管内に血栓が詰まる、あるいは老化による細動脈**

**硬化**などがあります。血栓や動脈硬化の原因は、プラークです。

このため心筋梗塞と診断された患者さんの多くは、血液をサラサラにする薬やコレステロールの値を下げる薬をのまれていることでしょう。

ただし中性脂肪やコレステロールの値が高いというだけで、プラークが溜まるわけではありません。高い人は下げるべきですが、それだけでプラークが低くなると思ったら間違いなのです。

プラークが肥厚するのは、たしかに中性脂肪やコレステロールが大きな原因のひとつです。しかしそれらの値を高くしているのは、一にも二にも食習慣なのです。

心筋梗塞や労作性狭心症になった場合、**心臓カテーテルによるステント治療**や、**バイパス手術**を行います。いずれも身体に負担の多い、つまり危険性の高い手術です。

脳血管性認知症などを含めると、膨大な人数が血管プラークに痛めつけられていることになります。

そうならないためにも、自分の血管プラークの状態を知り、同時に自分の食習慣を見直してください。

## 狭心症と心筋梗塞の違い

狭心症と心筋梗塞は、ともに虚血性心疾患といい、心臓の筋肉への血液の供給が途絶え、栄養や酸素の供給が不足することで起きる病気です。ただし狭心症は一過性のもので、一時的に冠動脈の血流が滞って、**胸が締めつけられるような、握りつぶされるような痛み**があり、冷や汗、吐き気、呼吸困難を伴います。また特定の部位ではなく、胸の上の漠然とした範囲で起こるのも特徴です。

狭心症は数分から10分程度で血流が回復し、症状が消え、心電図も正常に戻ります。これに対して心筋梗塞は、冠動脈の血流が滞って心臓の筋肉そのものが壊死を起こしてしまった状態です。症状は似ていますが、心筋梗塞の場合は放置すれば死にいたることもあります。しかし**狭心症も放置すれば、やがて心筋梗塞に進行します。**

安静時であっても、胸部の圧迫感や左鎖骨上~左肩~左首筋の圧迫感や痛み、喉の圧迫感、みぞおちの圧迫感、左背中~やや右の背中の圧迫感などがあれば、血管痙攣《けいれん》性の狭心症が疑われます。

もし右記のような症状に思い当たるところがあったら、自己診断せずに、早めに専門の先生にご相談ください。血管エコー、心電図、心臓CTまたはMRIなどが必要な場合があります。

冠動脈の痙攣症状を経験したときには、狭心症が起こったという事実を重く受け止めましょう。とくにある程度年齢を経て、狭心症が出てきた場合は、痙攣を起こした血管がプラークによって狭くなっているか、なんらかの変化をしていることを意味します。

狭心症を初めて経験した方は、まず専門医に相談しましょう。負荷心電図検査や、場合によっては3次元心臓CTやMRIを勧められる場合もあります。頸動脈エコーや、私が開発した右鎖骨下動脈エコーも実施するかもしれません。

そして検査の結果、冠動脈の高度狭窄が疑われれば、心臓カテーテル検査を勧められるでしょう。しかし心臓カテーテル検査はまったく安全な検査とは言い切れないので、専門医とよくご相談ください。

## 微小血管狭心症とは

最近では、微小血管狭心症といわれる狭心症があることが知られてきました。CTや心臓カテーテルでは見えないほどの**小さな心臓の血管の痙攣によって虚血が生じる**ため起こる症状と考えられています。これを放置すると、後に狭心症になる確率が高いようで、これも血管プラークと関係があるようです。したがって、プラークを低くする努力が必要です。

# 労作性狭心症とは

40歳以上の成人に起こりやすいタイプの狭心症です。坂道や階段などでの胸部圧迫感が出現するようならば、冠動脈が狭窄（労作性狭心症）している場合が考えられます。ただちに専門の先生にご相談ください。

心筋梗塞や狭心症の予防策として、一般的には**ストレスを避ける、禁煙、肥満、高血圧、糖尿病、脂質異常症（高脂血症）への対策**を勧められます。また食事は脂肪を控えめに、タンパク質は植物性のものや魚から摂取し、野菜や海藻を多くとるようアドバイスされます。

しかしもっとも実効性の高い予防策は、血管プラークの堆積を減らすことです。狭心症は40歳以降の男性に多いといわれていますが、これも性差ではなく、年を重ねると血管プラークの高さが単純に高くなるためです（67ページ参照）。

# 狭心症の治療

## （心臓カテーテルなどでの治療が必要でない場合）

私が診た狭心症患者の方は、いずれも血管プラークが厚くリスクレベルも高かったので、投薬と食習慣の改善を実施し、結果として発作が治まりました。そのなかの一部の方は投薬と食事の改善を行って10カ月〜1年3カ月の観察で、明らかな血管プラークの低下（退縮）が見られました。1例はC-maxが3.3㎜から2.0㎜へ、1例はC-maxが1.9㎜から1.5㎜へ血管プラークが低下し、狭心症発作もなくなりました。血管プラークは**石灰化がなければ治せる**のです。

狭心症は重大な結果を招く病気ですから、発作が起こったときだけの対策では安心できません。血管プラークは雪のように音もなく積もります。自覚をもって治療に参加しなければ、時間とともに悪化の路をたどることになります。

## 加齢黄斑変性という目の病気も血管プラークが原因!?

加齢黄斑変性という目の病気をご存じでしょうか。視野の中心が歪んだりぼやけたりしてしまい、最終的には失明にまでいたる恐ろしい病気です。欧米では中途失明の原因の第1位となっていて、日本でも第4位となっています。

これまでこの病気は原因不明とされてきましたが、私は何人かの患者さんを診ることで、病気の原因が、実は血管プラークにあることを確信するにいたりました。

加齢黄斑変性は、目の一番奥にある黄斑部という大事な部分が、加齢や喫煙、高血圧などが影響して変性するために起きる病気といわれています。

私の仮説では、原因は血管プラークです。私が診た4例の加齢黄斑変性の患者さんは、全員がリスクレベル＝4でした。つまり血管プラークが**目の動脈の分岐**

**屈曲部に溜まり、血行不全を起こしてしまう、**それが根本原因ではないかと考えるにいたったのです。血管に異常があると新生血管という新しい血管が生まれ、これがんや失明の原因になるとも指摘されていますが、それも眼動脈の狭窄が原因ではないかと推測できます。

従来、加齢黄斑変性の治療方法としては、禁煙や血圧コントロール、食習慣の改善、ビタミン類の補給、さらにレーザー治療などがありました。しかしいずれも決定的な治療方法ではありませんでした。

しかし原因が血管プラークであるのなら、血管プラークを低くすることが根本的な治療または予防となるはずです。

症状が軽度であれば、徹底した食習慣の改善、コレステロールの値が高ければコレステロール低下薬、新生血管にも作用するＥＰＡ製剤などが、根本的な治療方法となる可能性が生まれたのです。

加齢黄斑変性の患者数は50歳以上で増えはじめます。もともと**60歳以上の男性に多く、以前から欧米では非常に多い、**といった状況を踏まえれば、この病気の原因は、食習慣の欧米化に伴う血管プラークの肥厚が原因なのではないか。超音波エコーで多くの血管プラークを診てきた私は、そう考えています。

どの専門書にも、加齢黄斑変性の原因が血管プラークだとは書いてありません。しかし加齢黄斑変性の主原因が血管プラークである可能性は、きわめて大きいのです。

今からでも遅くありません。この病気を指摘された方は、ぜひ6カ所の血管プラークを検査してもらってください。そして食習慣を脂質や糖分の少ない健康食に、思い切って変えてみてください。それは同時に、心筋梗塞や脳梗塞、血管性認知症の予防にもつながるのですから。

ただし、動脈硬化の判断は「頸動脈エコー」で判断しているのが実情です。右鎖骨下動脈や大腿動脈、大動脈などまで診てもらうためには特別に依頼する必要があります。超音波医学会から「超音波専門医」とその所属病院がインターネットで公開されていますが、この本や私の論文を理解されているかどうかをお尋ねください。

## ■食と病歴アンケート

若いとき、過去の食習慣調べ

名前（　　　）（　　　）歳

2〜3年前の体重＝（　　　）kg　身長＝（　　　）cm　BMI*＝（　　　）

*BMI＝体重（kg）÷身長（m）÷身長（m）（注）身長の単位はメートル

だった＝○、大好きだった＝◎）

---

- □馬肉
- □イノシシ肉
- □鴨肉の皮
- □チャーハン
- □バラ肉
- □ホルモン
- □油炒め
- □ピーナッツ
- □ヒレ肉
- □ハム
- □肉の脂身
- □鶏から揚げ
- □フライドポテト
- □トンカツ

---

- □まんじゅう
- □チョコ
- □アイス
- □パンにジャム
- □水飴
- □蜂蜜
- □ドーナツ
- □おはぎ

＊現在ではなく！　過去に５年以上の期間（好き

❶脂　肪

□牛肉　□豚肉
□クジラ（脂肪）　□鶏皮
□豚ベーコン　□サラミ
□カルビ　□天ぷら
□霜降り肉　□ロース肉
□ハンバーグ　□ハンバーガー
□ポテトチップス　□豚足
□揚げ物（魚肉、かまぼこ、イカ）
□パンにバター（マーガリン）

❷糖　分

□ケーキ　□クッキー
□あん入りもち　□シュークリーム
□パンに砂糖　□黒砂糖
□フルーツゼリー　□(水）ようかん
□菓子パン　□甘煮など（料理）

❸ その他-1：（最低5年以上の期間）

(1) タバコ：
1日（①1〜19本、②20〜40本、③41本以上）

(2) 飴玉、キャラメルなど（糖分入り）：
1日（①1〜3個、②4〜9個、③10個以上）

(3) 卵：週（①8〜9個、②10〜20個、③21個以上）

(4) 日本酒：
1日（①1.5合、②2〜3合、③4合以上）

(5) 砂糖入りコーヒー or 紅茶：
1日（①1杯、②2杯、③3杯以上）

(6) 糖入り缶コーヒー or 缶紅茶：
1日（①1本、②2本、③3本以上）

---

❹ その他-2：（最低5年以上の期間）

(1) ビール：
1日（①500〜1000ml、②1000ml以上）

(2) 豚骨ラーメン汁：（①半分のむ、②全部のむ）

(3) ワイン： 1日（①0.5本、②0.6本以上）

(4) 焼酎 or ウイスキー：
1日（①2〜3杯、②4杯以上）

(5) ジュース、コーラなど糖液：
1日（①300〜499ml、②500ml以上）

**❺ よく食べた外食（家庭食）：**

今までの人生で、（最低５年以上の期間）

牛ステーキ：　週（①1回、②2回、③3回以上）

焼き肉：　週（①1回、②2回、③3回以上）

ハンバーグ：　週（①1回、②2回、③3回以上）

牛　丼：　週（①1回、②2回、③3回以上）

ハンバーガー：　週（①1回、②2回、③3回以上）

すき焼き：　週（①1回、②2回、③3回以上）

豚骨ラーメン：　週（①1回、②2回、③3回以上）

油炒め料理：
週（①1〜2回、②3〜4回、③5回以上）

天ぷらorから揚げ：
週（①1〜2回、②3〜4回、③5回以上）

もつ鍋：　週（①1回、②2回、③3回以上）

しゃぶしゃぶ：　週（①1回、②2回、③3回以上）

ハムステーキ：　週（①1回、②2回、③3回以上）

豚　足：　週（①1回、②2回、③3回以上）

トンカツ：　週（①1回、②2回、③3回以上）

❻

魚：（①大好き、②好き、③普通、④あまり、⑤嫌い）

野菜：

（①大好き、②好き、③普通、④あまり、⑤嫌い）

歩行（運動）していた：

（①かなり、②少し、③普通、④あまり⑤ぜんぜん）

---

❼

父の脳梗塞、心イベント：　　（①なし、②あり）

母の脳梗塞、心イベント：　　（①なし、②あり）

（心イベント＝心筋梗塞、冠動脈ステント、バルーン、バイパス手術）

---

❽ 年齢：

現在（①20〜39歳、②40〜59歳、③60歳以上）

---

❾ **医学的**

兄弟、姉妹の脳梗塞、心イベント：

（①なし、②あり）

夫（妻）の脳梗塞、心イベント：

（①なし、②あり）

本人の高血圧：　　（①なし、②あり）

本人の糖尿病：　　（①なし、②あり）

－ただし、高血圧、糖尿病は薬物治療を受けている場合－

## 採点表

❶ 計（　　　　　）点
○=2点、◎=30点
○または◎が9個以上（9個含む）の場合は50点加える

❷ 計（　　　　　）点
○=3点、◎=30点
○または◎が6個以上（6個含む）の場合は30点加える

❸ 計（　　　　　）点
①=10点、②=30点、③=60点

❹ 計（　　　　　）点　①=10点、②=30点

❺ 計（　　　　　）点
①=20点、②=30点、③=40点

❻ 計（　　　　　）点
①=−5点、②=−3点、③=0点、④=3点、⑤=5点

❼ 計（　　　　　）点　①=0点、②=30点

❽ 計（　　　　　）点
①=0点、②=5点、③=20点

❾ 計（　　　　　）点　①=0点、②=40点

**総計（　　　　　）点**

**真島康雄**（まじまやすお）

1950年長崎県生まれ。久留米大学医学部卒業。

85年肝腫瘍細径生検針Majima needleを開発。94年台湾に肝がんの診断と治療の技術指導に招聘され、その功績に衛生局局長より「華陀《かだ》再世」の書を拝受。国際消化器外科学会（仏）でシンポジストとして講演、超音波医学会の地方会を主催するなど、幅広く活動。2008年には、医師ならではの観察眼と柔軟な発想をもとにバラの完全無農薬栽培を実践し、バラ栽培の常識を覆した本『Dr. 真島康雄のバラの診察室』（Benesse）を上梓。

現在、真島消化器クリニック（福岡県久留米市）の院長。

注）華陀：花岡清州が憧れた中国史上の医聖。

脳梗塞・心筋梗塞は予知できる

2009年3月10日 第1刷発行
2018年9月25日 第7刷発行

著 者 真島康雄
発行人 見城 徹
編集人 福島広司

発行所 株式会社 幻冬舎
〒151-0051 東京都渋谷区千駄ヶ谷4-9-7

電話:03(5411)6211(編集)
03(5411)6222(営業)
振替:00120-8-767643
印刷・製本所:中央精版印刷株式会社

検印廃止


ISBN978-4-344-01639-2 C0095
幻冬舎ホームページアドレス http://www.gentosha.co.jp/

この本に関するご意見・ご感想をメールでお寄せいただく場合は、
comment@gentosha.co.jpまで。